Orações que Derrotam Demônios

John Eckhardt

bvbooks

e-mail: faleconosco@bvbooks.com.br
Rua Visconde de Itaboraí, 311 – Centro – Niterói – RJ
CEP: 24.030-090 – Tel.: 21-2127-2600
www.bvbooks.com.br

Editor Responsável: Claudio Rodrigues
Diagramação e Adaptação Capa: Chayanne Maiara
Diretor de Arte: Bill Johnson
Arte da Capa: Jerry Pomales
Tradução: Mitsue Siqueira
Revisão de Texto: Ana Carolina Salerno
Christiano Titoneli Santana
Mitsue Siqueira

ISBN 978-85-61411-71-8
1ª edição – Outubro | 2011
3ª reimpressão – Junho | 2017
Impressão: Imprensa da Fé
Classificação: Oração | Batalha Espiritual

Available in other languages from Strang Communications, 600 Rinehart Road, Lake Mary, FL 32746 USA, Fax Number 407-333-7100 www.strang.com.

Impresso no Brasil

Sumário

III - Confrontando as Táticas do Inimigo

IV - Destruindo as Forças do Inimigo

Prefácio

Primeiro, gostaria de agradecer a nosso Senhor e Salvador Jesus Cristo por dar ao apóstolo John Eckhardt tanta coragem e amor para com Seu povo. Pelo tempo que conheço o apóstolo Eckhardt, vejo que ele é um homem que ama a Deus e a Seu povo. Ele tem sido fiel ao Senhor, à família e ao ministério. Acompanhei seu crescimento na revelação da Palavra de Deus e seu conhecimento sobre a libertação. Apóstolo Eckhardt nunca teve medo de pregar a verdade, enquanto outros pastores evitavam abordar certos problemas porque talvez perderiam membros e dinheiro. Seu interesse está em libertar o Povo de Deus.

No decorrer dos anos, várias pessoas me disseram que o apóstolo Eckhardt as ajudou em várias áreas de suas vidas. Há muitos testemunhos pelos Estados Unidos de muitas pessoas que receberam livramento por meio de seu ministério. Ele escreveu muitos livros e gravou vários CDs que ajudaram as pessoas na libertação, que até então parecia impossível. Pessoalmente, posso dizer que seu ministério tem sido uma bênção para mim.

Apóstolo Eckhardt tem uma unção especial e a sabedoria para reunir maravilhosas orações de guerra, que iluminam e equipam o corpo de Cristo. Este livro tem um impacto poderoso e certamente lhe ajudará em cada área de sua vida. Muitas vezes as pessoas estão presas a bruxarias e maldições, mas não sabem o que fazer para se libertar. Enquanto a maioria dos Cristãos não conhece as maldições que afetam suas vidas, o livro do apóstolo Eckhardt as revela e mostra como quebrá-las, cegando o Inimigo. Este livro apresenta as orações que quebram cada fortaleza demoníaca em sua vida. Depois de lê-las, o poder de Deus libertará você da bruxaria, das maldições e da idolatria, e a cura será lançada em sua vida. Este livro aponta o caminho para derrubar o poder das trevas e principados, e para quebrar maldições em sua terra. As mesmas orações podem ser usadas para sua cidade. Além disso, estas orações buscarão as áreas escuras de sua vida para que Deus possa usá-las de grandes maneiras. Depois de quebrar a maldição, apóstolo Eckhardt lhe ensina a liberar bênçãos sobre si mesmo e sobre sua família. Se você alguma vez desejou o fogo de Deus em sua vida, este livro ensina como lançá-lo para pregar, profetizar, curar os enfermos e expulsar demônios.

Este livro é essencial para todo fiel.

- **Ruth Brown**
Autora de *Destroying the Works of Witchcraft Through Fasting & Prayer*

Introdução

Orações que Derrotam Demônios combina oração e confissão da Palavra de Deus para derrotar qualquer rival demoníaco. Oração e confissão da Palavra são duas das mais poderosas armas dos fiéis. Você verá a grande libertação do poder de Deus quando estas armas forem usadas em conjunto.

Comecei a escrever estas orações enquanto estudava a Palavra de Deus. O Espírito Santo me trouxe muitas passagens bíblicas a serem lançadas por meio da oração. Comecei a ver claramente o plano de Deus para os fiéis e como o Inimigo queria interromper aquele plano. O Senhor me ensinou a importância de orar a Palavra a fim de superar a resistência espiritual para o plano de Deus em minha vida.

Estas orações foram preparadas ao longo de um período de muitos anos. Elas vieram de anos de experiência com pessoas e nações. O Espírito Santo me ajudou a entender muitas passagens da Bíblia e a saber usá-las em oração.

Muitas orações neste livro terão como referência as Escrituras. Baseamos nossas orações na Palavra de Deus. A Palavra de Deus lhe motivará a orar. As promessas de Deus lhe motivarão a orar. Deus nos deu grandes e preciosas promessas. É pela fé e pela paciência que se herdam as promessas (Hb. 6:12).

Há muitos fiéis que encontram dificuldades para orar. Muitos dizem que não sabem orar. Alguns se sentem desencorajados para orar. Este livro lhe ajudará a aprender como orar com revelação e autoridade. Estas orações são preparadas para dar resultados. Recebemos muitos testemunhos de pessoas que chegam a um outro nível de oração usando este livro. Estas orações são escritas com simplicidade, porém são poderosas.

Há muitos tipos diferentes de orações aqui. Somos instruídos a orar todos os tipos de oração (Ef. 6:18). Elas ampliarão sua habilidade de orar. Você vai orar diferentemente de como, em geral, você orava. Isto ajudará a romper as barreiras de sua vida de oração.

A oração é uma das maneiras de libertarmos a vontade de Deus sobre a Terra. Devemos estudar a Palavra de modo a conhecer a vontade de Deus. É este o porquê de oração e Palavra andarem sempre juntas. Daniel era capaz de orar de forma eficaz, porque conhecia a Palavra de Deus acerca de Seu povo (Dn. 9:2-3).

Precisamos orar com entendimento (1 Co. 14:15). Entender a vontade de Deus nos ajudará a orar corretamente. A Palavra de Deus é a vontade dele. Não somos insensatos, mas devemos entender qual é a vontade do Senhor (Ef. 5:17). Orar também nos ajuda a caminhar perfeita e completamente segundo a vontade de Deus (Cl. 4:12).

Vida e morte estão no poder da língua (Pv. 18:21). Como doem as palavras verdadeiras! (Jó 6:25). As palavras que falamos são espírito e vida (Jo. 6:63). Podemos cair em armadilhas de palavras da nossa própria boca. Precisamos articular os pensamentos de Deus pela oração e pela confissão de Sua Palavra (Is. 55:8). A Palavra de Deus é lançada por meio de nossa língua, que manifestará Seu poder em nossas vidas.

Palavras são usadas para conduzir nossos pensamentos. As palavras de Deus são os pensamentos de Deus. Liberamos o pensamento de Deus quando oramos e confessamos Sua Palavra. Os Seus pensamentos são paz e prosperidade (Jr. 29:11). Eles foram feitos para nos trazer o fim esperado.

Jesus nos ensinou que nossa fé é lançada pelas nossas palavras (Mc. 11:23). Nossas palavras de fé podem mover montanhas. Não há nada impossível para aquele que crê. Nossa fé é a chave para ver milagres e mudanças continuamente. Qualquer coisa que pedirmos em oração, acreditem, nós receberemos (Mt. 21:22).

A Palavra está perto de nós (Rm. 10:8). A Palavra está em nossa boca e em nosso coração. Esta é a palavra da fé. A boca e o coração estão unidos. Falamos sobre a abundância do coração. A Palavra de Deus em nosso coração virá pela boca. Deus guarda a Palavra para cumpri-la (Jr. 1:12).

Somos encorajados a recorrer a Deus em oração. Ele nos prometeu mostrar grandes coisas (Jr. 33:3). O Senhor se alegra com nossas orações. Ele se alegra em respondê-las. Antes de chamar, Ele responderá (Is. 65:24). Os ouvidos do Senhor estão abertos para as orações dos justos (1 Pe. 3:12). A oração eficaz e fervente dos justos pode muito em seus efeitos (Tg. 5:16). Devemos orar sem cessar (1 Ts. 5:17).

Nosso Deus ouve as orações. A humanidade precisa ir a Ele em oração (Sl. 65:2). Este livro é feito para fiéis de qualquer nação. Todos os fiéis têm desafios semelhantes que devem ser superados. Deus não faz acepção de pessoas. Ele está perto de todos que podem chamá-Lo (Sl. 145:19). O Senhor ouvirá sua súplica e receberá sua oração (Sl. 6:9).

Invocar o nome do Senhor nos trará salvação e nos livrará de nossos inimigos (Sl. 18:3). A chave para a libertação sempre foi essa. Podemos orar por qualquer situação adversa. O Senhor é nosso ajudador. Deus não rejeitará nossas orações (Sl. 66:20). Deus não desprezará nossa oração (Sl. 102:17). A oração dos retos é o contentamento do Senhor (Pv. 15:8).

Recebemos as chaves do Reino (Mt. 16:19). Isto nos dá autoridade para prender e libertar. *Prender* significa restringir, parar, impedir, limitar, controlar, conter, interromper ou pôr um fim. *Libertar* significa desamarrar, desatar, destrancar, liberar, perdoar. Chaves representam autoridade para trancar (prender) ou destrancar (libertar). Orações e confissões são duas maneiras de usarmos autoridade. Podemos prender os trabalhos das trevas, que incluem: doença, moléstia, feridas, bruxarias, miséria, morte, destruição, confusão, derrota e desânimo. Podemos libertar as pessoas e a nós mesmos das obras das trevas. Isto resultará em grande libertação e prosperidade.

Prender e libertar nos ajudará. Podemos libertar a nós mesmos de muitas coisas usando nossa autoridade. Podemos libertar as pessoas fazendo estas orações. Jesus veio destruir os trabalhos do mal. Ele veio para que tenhamos uma vida abundante.

Os fiéis devem atentar-se e agir em autoridade. Jesus deu a Seus discípulos poder e autoridade sobre todos os demônios (Mt. 10:1). Estamos assentados com Cristo em lugares celestiais muito acima de todos os principados e potestades (Ef. 1:20; 2:6). Os fiéis podem usar a autoridade por meio da oração e da confissão. Temos autoridade para esmagar as serpentes e escorpiões (Lc. 10:19). Jesus prometeu que nada nos machucaria. Muitos fiéis sofreram desnecessariamente, pois não conseguiram exercer a autoridade.

Estas orações são para fiéis que têm ódio da obra das trevas (Sl. 139:21). Você odeia todos os falsos caminhos (Sl. 119:104)? Você quer ver mudanças em sua cidade, região e nação? Você é um rei e tem o poder de mudar a geografia das regiões (Ec. 8:4). O temor ao Senhor é odiar o mal (Pv. 8:13).

As orações neste livro são feitas para demolir fortalezas. A Palavra de Deus é como um martelo que despedaça a pedra (Jr. 23:29). Precisamos de orações poderosas para demolir estas fortalezas. Estas orações são para aqueles que querem ver progresso em sua vida pessoal, bem como em suas cidades, regiões e nações. Muitos livros de oração foram escritos há anos, mas acredito que este é único em sua simplicidade e revelação.

Satanás foi derrotado pela cruz. Principados e potestades foram expostos publicamente (Cl. 2:15). Estamos chegando à vitória por meio da oração. Estamos executando os julgamentos escritos. Esta honra é dada a todos os Seus santos. Os santos do Altíssimo receberão o Reino (Dn. 7:18). Isto significa que temos autoridade com o Rei para levar o reino de Cristo a outras nações.

Davi foi um rei que entendeu o lugar da oração na vitória. Ele teve muitas conquistas sobre seus inimigos. Ele viu a força da libertação por meio das orações. Ele orou para derrotar seus inimigos e Deus respondeu. Teremos o mesmo resultado com nossos inimigos espirituais. Não estamos lutando contra a carne e o sangue. Devemos superar os principados e potestades com a armadura de Deus. Devemos pegar a espada do Espírito e orar com toda oração (Ef. 6:12-18).

As orações de Davi terminam em Salmos 72:20. Ele as termina orando para que toda a Terra esteja repleta da glória de Deus. Este é o propósito da oração. Acreditamos que a Terra ficará cheia do conhecimento da glória do Senhor, assim como as águas cobrem o mar (Hc. 2:14). Este é nosso objetivo. Continuaremos a orar para que esta promessa se cumpra. Veremos o crescimento do reino de Deus e a destruição dos poderes das trevas com nossas orações. A renovação e a glória estão crescendo. Nossas orações são como gasolina para o fogo.

Seção 1

Ligando-se à Fonte de Poder

Nossa fonte de poder é o Espírito Santo e a Palavra de Deus. Aperfeiçoamos nossa própria fé ao confessarmos Sua Palavra. Experimentamos uma grande confiança quando entendemos a Palavra e caminhamos na revelação. A oração nos liga à fonte de poder. A oração nos liga a Deus e permite que Seu poder flua em nós em qualquer situação.

A salvação é a base para a guerra. Renascer é uma necessidade. Um fiel também precisa da plenitude no Espírito Santo. Você nasceu de novo? Você tem certeza de que conquistou a salvação? Os fiéis precisam ter uma vida consagrada, submetendo-se ao Espírito Santo. Somos ordenados a caminhar no Espírito. Isto nos garantirá vitória constante e conquista para nossos semelhantes. Podemos vingar a desobediência quando somos plenos na obediência. Jesus expulsa os demônios pelo poder do Espírito Santo (Mt. 12:28). O Espírito Santo foi a fonte de Seu poder e sabedoria.

Esta seção de orações nos ensina que associar-se à fonte de poder – o Espírito Santo e a Palavra de Deus – não é para religiosos. Estas não são orações religiosas que só começam a funcionar quando alguém as recita. Estas orações são para os fiéis que nasceram de novo e que desejam ver o crescimento do reino de Deus.

Fortaleceremo-nos no Senhor e na força de Seu poder (Ef. 6:10). Caminharemos e lutaremos em Sua força. Isto requer humildade e total dependência de Deus. Não podemos confiar em nossa própria força. Não podemos permitir que o orgulho abra a porta da destruição.

O Senhor é um homem de guerra (Êx. 15:3). Ele lutará nossas batalhas. Dependemos de Seu poder e direção. Dependemos de Sua Palavra e de Seu Espírito. Não há como exagerar ao falar da necessidade da humildade. Deus dá graça ao humilde.

O Senhor é a força da nossa vida. Portanto, temos poder para superar todo o medo. Depositaremos nossa fé nele. Esta foi a chave para as vitórias de Davi. Davi foi um rei que soube como depender do Senhor. Davi ganhou muitas batalhas e venceu todos os inimigos.

O Senhor ensinou Davi a guerrear (Sl. 144:1). Ele também nos ensinará a guerrear. Você deve depender dele. As orações e estratégias deste livro foram aprendidas com anos de guerra e de fé em Deus. Ele nos ensina a guerrear usando a Sua Palavra. O Espírito Santo abriu nossos olhos para grandes verdades, e ainda estamos aprendendo.

Deus foi a fonte de poder na vida de Davi, que confessou que o Senhor era a sua força. Davi era um homem de oração e adoração. Ele se alegrava com a presença do Senhor, sua fonte de alegria e força. Suas canções eram poderosas armas proféticas contra o Inimigo. Não há outro caminho, senão o de uma vida de louvor e adoração. Todo fiel precisa pertencer a uma igreja forte em louvor e em adoração.

Há muitos guerreiros sendo treinados na escola do Espírito Santo. São pessoas humildes que dependem de Deus para avançar. Precisaram se unir com o Senhor, que é o maior guerreiro. Aprenderam pela experiência e algumas vezes pelas falhas. Assim como estes grandes guerreiros de Deus, se clamarmos ao Senhor Ele nos mostrará coisas grandes e poderosas.

A Palavra de Deus é a espada do Espírito. A espada é usada na guerra. O Senhor nos ensinará como usar esta espada. Você a usará contra os inimigos de sua alma. Você verá grandes vitórias quando usá-la corretamente. A maioria das orações deste livro tem relação com a Escritura. Convido você a olhar os versículos e a meditar neles. A Palavra de Deus é nossa fonte de sabedoria. Vamos agir na sabedoria de Deus para derrotar os poderes do inferno.

Confessar a Palavra de Deus é uma parte importante da vida espiritual de cada fiel. A Cristandade é chamada de *a grande confissão*. A salvação vem do confessar com a boca. A boca está ligada ao coração. A Palavra de Deus falada por sua boca será plantada em seu coração. Fé é a palavra liberada pela boca. A boca pode apenas falar o que está no coração. A fé no coração que é liberada pela boca pode mover montanhas.

Deus é a fonte de todas as nossas vitórias e conquistas. Ele é a fonte de sabedoria e estratégias. Sua Palavra é a fonte para o entendimento de cada guerra em que estivermos envolvidos.

Nossa batalha se origina no céu. Nós prendemos o que já foi preso no céu. Nós libertamos o que já foi liberto nos céus.

Deus nos revelou muitas passagens bíblicas durante anos de envolvimento em libertação e batalhas. Estas passagens são inestimáveis ao nos ajudar a vivenciar a conquista. A Palavra de Deus é um baú de tesouros cheio de sabedoria e conhecimento. Ela contém abundância de revelações para cada fiel. Os que desejam se alegrar na liberdade e na vitória devem separar algum tempo para estudá-la e pedir por revelação.

Um dos meus grupos de oração favoritos nesta seção é o "Orações Por Revelação". Comecei a ver verdades na Palavra de Deus que eu nunca tinha visto. Revelação é a chave para a autoridade. Pedro recebeu as chaves do Reino e depois recebeu a revelação de que Jesus era Cristo (Mt. 16:16).

Deus prometeu nos fazer alegres na oração (Is. 56:7). A casa de Deus é chamada *casa de oração* por todas as nações. Acredito que deveríamos não apenas orar, mas nos alegrar com a oração. A alegria do Senhor é nossa força. As orações devem render frutos em abundância de milagres e recompensas. Aqueles que se alegram com os resultados da oração nos ajudarão a viver na alegria.

Confissões

Toda a ferramenta preparada contra mim não prosperará, e toda a língua que se levantar contra mim em juízo, eu a condenarei (Is. 54:17).

Sou estabelecido em justiça e estou longe da opressão (Is.54:14).

As armas da minha milícia não são carnais, mas sim poderosas em Deus para destruição das fortalezas (2 Co. 10:4).

Tomo o escudo da fé, com o qual posso apagar todos os dardos inflamados do maligno (Ef. 6:16).

Tomo a espada do Espírito, que é a Palavra de Deus e a uso contra o Inimigo (Ef. 6:17).

Fui resgatado da maldição da lei. Fui resgatado da miséria. Fui resgatado da doença. Fui resgatado da morte espiritual (Gl. 3:13).

Eu a tudo supero, porque maior é o que está em mim do que o que está no mundo (1 Jo. 4:4).

Estou firme, tendo cingido meu lombo com a verdade, e vestido a couraça da justiça; e calçados os pés na preparação do Evangelho da paz; tomo o escudo da fé e o capacete da salvação, e uso a espada do Espírito, que é a Palavra de Deus (Ef. 6:14-17).

Fui livrado do poder das trevas e transportado para o reino do Filho de Deus (Cl. 1:13).

Piso em serpentes e escorpiões e em toda a força do Inimigo, e nada me fará dano algum (Lc. 10:19).

Não tenho o espírito de temor, mas de fortaleza, e de amor, e de moderação (2 Tm. 1:7).

Sou abençoado com todas as bênçãos espirituais nos lugares celestiais em Cristo Jesus (Ef. 1:3).

Fui curado pelas feridas de Jesus (Is. 53:5).

Minha mão será sobre o pescoço de meus inimigos (Gn. 49:8).

Tu ungiste a minha cabeça com óleo, o meu cálice transborda. A bondade e a misericórdia me seguirão todos os dias da minha vida (Sl. 23:5-6).

Sou ungido para louvar, ensinar, curar e expulsar o mal. Recebo a abundância da graça e do dom da justiça, e reino em vida por um só, Jesus Cristo (Rm. 5:17).

Tenho vida, e vida abundante (Jo. 10:10).

Ando na luz, pois Jesus Cristo na luz está e Seu sangue me purifica de todo o pecado (1 Jo. 1:7).

Sou feito justiça de Deus em Cristo (2 Co. 5:21).

Sou a cabeça e não a cauda (Dt. 28:13).

Determinarei algum negócio, e ele me será firme (Jó 22:28).

Cresço com Deus e com o homem (Lc. 2:52).

Grande riqueza há em minha casa, e a minha justiça dura para sempre (Sl. 112:3).

Serei satisfeito com vida longa e Deus me mostrará Sua salvação (Sl. 91:16).

Habitarei no esconderijo do Altíssimo e, à sombra do Onipotente, descansarei (Sl. 91:1).

Nenhum mal me sucederá, nem praga alguma chegará à minha tenda (Sl. 91:10).

Meus filhos serão ensinados do Senhor, e a paz deles será abundante (Is. 54:13).

Serei corroborado com poder pelo Teu
Espírito no homem interior (Ef. 3:16).

Estou arraigado e fundado no amor (Ef. 3:17).

Abençoo meus inimigos e faço
bem aos maus (Mt. 5:44).

Orações Por Bênção e Benevolência

Senhor, abençoa-me e guarda-me. Faz resplandecer Teu rosto sobre mim e tem misericórdia de mim. Senhor, sobre mim levanta Teu rosto e me dá a paz (Nm. 6:24-26).

Faz-me como Efraim e Manassés (Gn. 48:20).

Que eu me farte de benevolência
e me encha de Tua bênção (Dt. 33:23).

Senhor, impõe Tua bênção em minha vida.
Dá-me revelação, e que eu seja abençoado (Mt. 16:17).

Sou a semente de Abraão por Jesus Cristo e recebo a bênção de Abraão. Senhor, na bênção, me abençoa, e na multiplicação, multiplica-me como as estrelas do céu e como a areia do litoral.

Que Tuas chuvas de bênçãos desçam
sobre minha vida (Ez. 34:26).

Converte cada maldição de meu
caminho em bênção (Ne. 13:2).

Que Tua bênção faça de mim um
homem rico (Pv. 10:22).

Que todas as nações me chamem
de abençoado (Ml. 3:12).

Que todas as gerações me chamem
de abençoado (Lc. 1:48).

Sou um filho do bendito (Mc. 14:61).

Vivo no reino dos benditos (Mc 11:10).

Meus pecados são perdoados
e sou abençoado (Rm. 4:7).

Senhor, de dia em dia Tu me
carregas em benefícios (Sl. 68:19).

Sou escolhido por Deus e sou abençoado (Sl. 65:4).

Minha semente é abençoada (Sl. 37:26).

Que eu herde a terra (Sl. 37:22).

Sou parte de uma nação sagrada
e sou abençoado (Sl. 33:12).

Senhor, abençoa meu último estado
mais do que o primeiro (Jó 42:12).

Senhor, que Tua presença abençoe
minha vida (2 Sm. 6:11).

Bebo no cálice da bênção (1 Co. 10:16).

Senhor, me abençoa e faz resplandecer Teu rosto sobre mim, para que eu conheça na Terra o Teu caminho e para que Tua salvação governe todas as nações. Que minha terra dê frutos, e todas as extremidades da Terra temerão a Ti (Sl. 67).

Conheço Tua benevolência, por isso meus
inimigos não triunfam em mim (Sl. 41:11).

Senhor, favorece minha terra (Sl. 85:1).

Senhor, concede vida e misericórdia (Jó 10:12).

Em Tua benevolência, Senhor, faz minha
montanha permanecer forte (Sl. 30:7).

Senhor, rogo por Tua bondade (Sl. 45:12).

Que Teu auxílio exalte minha força (Sl. 89:17).

Senhor, este é meu tempo determinado para a piedade (Sl. 102:13).

Lembra de mim, Ó Senhor, com a bondade que Tu trazes a Teus filhos, e visita-me com a salvação (Sl. 106:4).

Senhor, rogo o Teu auxílio com todo meu coração (Sl. 119:58).

Que Tua benevolência seja em minha vida como a nuvem da chuva serôdia (Pv. 16:15).

Que a Tua beleza esteja em minha vida e que eu seja favorecido (Gn. 29:17).

Sou muito agraciado (Lc. 1:28).

Senhor, que eu receba Teu extraordinário auxílio.

Orações Por Revelação

Tu és um Deus que revela segredos. Senhor, revela Teus segredos a mim (Dn. 2:28).

Revela a mim os segredos e tudo que está escondido (Dn. 2:22).

Que eu entenda o que é mantido em segredo desde a fundação do mundo (Mt. 13:35).

Que os selos sejam rompidos da Tua Palavra (Dn. 12:9).

Que eu entenda e tenha a revelação de Tua vontade e Teu propósito para minha vida.

Dá-me o espírito de sabedoria e revelação, e que os olhos de meu entendimento sejam esclarecidos (Ef. 1:17).

Que eu entenda as coisas do céu (Jo. 3:12).

Abre meus olhos para que eu veja as maravilhas da Tua Palavra (Sl. 119:18).

Que eu conheça e entenda os mistérios do Reino (Mc. 4:11).

Que eu fale com outros pela revelação (1 Co. 14:6).

Revela Teus segredos a Teus
servos, os profetas (Am. 3:7).

Que as coisas escondidas sejam
manifestadas (Mc. 4:22).

Esconde Tuas verdades do sábio e do prudente
e revela-as aos pequeninos (Mt. 11:25).

Que o Teu braço seja revelado
em minha vida (Jo. 12:38).

Revela as coisas que pertencem a mim (Dt. 29:29).

Que Tua Palavra seja revelada a mim (1 Sm. 3:7).

Que Tua glória seja revelada em minha vida (Is. 40:5).

Que Tua justiça seja revelada em minha vida (Is. 56:1).

Que eu receba visões e revelações
do Senhor (2 Co. 12:1).

Que eu receba revelações em abundância (2 Co. 12:7).

Que eu seja um bom ministro de
Tuas revelações (1 Co. 4:1).

Que eu fale sobre o ministério de Cristo (Cl. 4:3).

Que eu receba e entenda Tua
sabedoria oculta (1 Co. 2:7).

Não escondas Teus mandamentos de mim (Sl. 119:19).

Que eu fale a sabedoria de Deus
em mistério (1 Co. 2:7).

Que eu conheça o ministério do Evangelho (Ef. 6:19).

Faz-me conhecer o mistério de Tua vontade (Ef. 1:9).

Declara Teus enigmas na harpa (Sl. 49:4).

Que eu entenda Tuas parábolas; as palavras
da sabedoria e Teus enigmas (Pv. 1:6).

Senhor, acende minha candeeira e
ilumina minhas trevas (Sl. 18:28).

Torna as trevas em luz perante mim (Is. 42:16).

Dá-me os tesouros escondidos e
as riquezas encobertas (Is. 45:3).

Que Tua vela resplandeça em minha cabeça (Jó 29:3).

Meu espírito é a vela do Senhor, que esquadrinha todas as partes do ventre (Pv. 20:27).

Que eu entenda as profundezas de Deus (1 Co. 2:10).

Que eu entenda Teus pensamentos mais profundos (Sl. 92:5).

Que meus olhos sejam iluminados com Tua Palavra (Sl. 19:8).

Meus olhos são abençoados para ver (Lc. 10:23).

Que todas as escamas sejam removidas de meus olhos (At. 9:18).

Que eu compreenda com todos os santos qual é a largura e o comprimento, e a altura e a profundidade do Teu amor (Ef. 3:18).

Que o meu coração me ensine na noite, e que eu desperte com revelação (Sl. 16:7).

Orações Relacionadas aos Céus

Estou assentado em lugares celestiais com Cristo, longe de todos os principados, potestades, poderes e domínios (Ef. 1:3).

Tomo posse da minha posição nos céus e amarro os principados e potestades que agem em minha vida, em nome de Jesus.

Quebro e repreendo cada elemento dos céus que opera contra mim por meio do sol, da lua, das estrelas e das constelações.

Amarro e repreendo todas as forças ímpias que trabalham contra mim por meio de Sete-estrelo, Ursa e Orion (Jó 38:31-32).

Amarro e repreendo todas as divindades da lua e demônios que operam por meio dela, em nome de Jesus (2 Rs. 23:5).

Amarro todas as divindades do sol e demônios que operam por meio dele, em nome de Jesus (2 Rs. 23:5).

Amarro todas as divindades das estrelas e demônios que operam por meio delas e dos planetas, em nome de Jesus (2 Rs. 23:5).

O sol não vai me ferir de dia e
nem a lua de noite (Sl. 121:6).

Os céus foram criados para ser
uma bênção em minha vida.

Recebo chuva e bênçãos dos céus
em minha vida, em nome de Jesus.

Oro para que os anjos sejam lançados na guerra contra
qualquer espírito encarregado de impedir a resposta
de minhas orações (Dn. 10:12-13).

Amarro o príncipe das potestades
do ar, em nome de Jesus (Ef. 2:2).

Oro para que as comportas do céu
sejam abertas em minha vida (Ml. 3:10).

Oro por um céu aberto e amarro qualquer interferência
demoníaca, em nome de Jesus.

Que os poderes maus do céu
sejam abalados (Mt. 24:29).

Que os céus gotejem orvalho
em minha vida (Dt. 33:28).

Abaixa os céus e inclina-se, Ó Senhor (Sl. 144:5).

Que os céus se abram sobre minha vida,
e que eu tenha visões (Ez. 1:1).

Faz tremer os céus e enche minha
casa com Tua glória (Ag. 2:6-7).

Troveja Tua voz nos céus contra
o Inimigo, Ó Senhor (Sl. 18:13).

Que os céus derramem chuva na
presença de Deus (Sl. 68:8).

Que o céu louve Tuas maravilhas, Ó Senhor (Sl. 89:5).

Mostra Tuas maravilhas nos céus (Jl. 2:30).

Anda pelos céus e lança Tua voz, Ó Senhor (Sl. 68:33).

Libera a Tua multiforme sabedoria
às potestades do céu (Ef. 3:10).

Orações por Crescimento e Prosperidade

Rompe de minha vida quaisquer limitações e
restrições colocadas por qualquer espírito
do mal, em nome de Jesus.

Amarro e expulso todos os espíritos
endemoniados, em nome de Jesus.

Abençoa-me muitíssimo e amplia meus termos. Que
Tua mão esteja comigo e me guarde do mal (1 Cr. 4:10).

Expulsa meus inimigos e alarga
meu território (Êx. 34:24).

Senhor, Tu prometeste alargar
meu território (Dt. 12:20).

Alarga meu coração para que eu possa seguir
no caminho de Teus mandamentos (Sl. 119:32).

Minha boca está dilatada sobre
meus inimigos (1 Sm. 2:1).

Alarga meus passos para que eu possa receber
Tua riqueza e prosperidade (Is. 60:5-9).

Recebo socorro e livramento
para minha vida (Et. 4:14).

O Senhor aumentará mais e mais a mim
e à minha família (Sl. 115:14).

Que Teu reino e governo cresçam
em minha vida (Is. 9:7).

Que eu cresça no conhecimento de Deus (Cl. 2:19).

Ó Senhor, abençoa-me e faz-me crescer (Is. 51:2).

Que eu cresça em grande maneira (Gn. 30:43).

Que eu cresça com o crescimento de Deus (Cl. 2:19).

Que eu cresça muito em amor (1 Ts. 3:12).

Aumenta minha nobreza e conforta
todos os meus lados (Sl. 71:21).

Faz-me crescer em sabedoria e estatura (Lc. 2:52).

Que eu cresça na força e confunda
meus inimigos (At. 9:22).

Que Tua graça e auxílio cresçam em minha vida.

Que os anos da minha vida aumentem (Pv. 9:11).

Que a Palavra de Deus cresça em minha vida (At. 6:7).

Abençoa-me em todo meu crescimento (Dt. 14:22).

Que minhas doações e dízimo aumentem (Dt. 14:22).

Que o meu último estado cresça (Jó 8:7).

Que eu cresça na graça e no conhecimento
de Jesus Cristo (2 Pe. 3:18).

Florescerei como uma palmeira e crescerei
como cedro no Líbano (Sl. 92:12).

Que minha fé cresça muitíssimo (2 Ts. 1:3).

Subirá diante de mim Aquele que abre
o caminho e romperá cada limitação
e barreira do Inimigo (Mq. 2:13).

Senhor, Tu és o Deus da conquista. Tu rompeste
meus inimigos diante de mim (2 Sm. 5:20).

Meus ramos correm sobre o muro
levantado pelos meus inimigos (Gn. 49:22).

Posso correr em uma tropa e
saltar as muralhas (Sl. 18:29).

Que minha voz ressoe por toda Terra, e minhas
palavras até o fim do mundo (Sl. 19:4; NVI).

Sou coerdeiro de Jesus Cristo.
Dá-me os gentios por herança, e os fins
da Terra por minha possessão (Sl. 2:8).

Renúncias

Renuncio toda luxúria, perversão, imoralidade, sujeira, impureza e pecado sexual, em nome de Jesus.

Renuncio toda bruxaria, feitiçaria, adivinhação e envolvimento oculto, em nome de Jesus.

Renuncio todos os laços com almas ímpias e relacionamentos imorais, em nome de Jesus.

Renuncio todo ódio, ira, ressentimento, vingança, retaliação, falta de perdão e amargura, em nome de Jesus.

Perdoo qualquer pessoa que tenha me ferido, me desapontado, me abandonado, me maltratado ou me rejeitado, em nome de Jesus.

Renuncio todo vício a drogas, álcool ou a qualquer substância legal ou ilegal que me escravize, em nome de Jesus.

Renuncio todo o orgulho, arrogância, vaidade, egoísmo, desobediência e rebelião, em nome de Jesus.

Renuncio toda inveja, ciúme e cobiça, em nome de Jesus.

Renuncio todo medo, descrença
e dúvida, em nome de Jesus.

Renuncio todo egoísmo, obsessão, autopiedade,
autorrejeição, autoflagelação, em nome de Jesus.

Renuncio todos os padrões de impiedade
e outras crenças, em nome de Jesus.

Renuncio todas as alianças, juramentos
e votos profanos feitos por mim ou
por meus antepassados, em nome de Jesus.

Orações em Cristo

Sou chamado em Cristo (Rm. 1:6).

Tenho redenção em Cristo (Rm. 3:24).

Reino na vida por Cristo (Rm. 5:17).

Estou vivo para Deus em Cristo (Rm. 6:11).

Tenho vida eterna em Cristo (Rm. 6:11).

Sou coerdeiro de Cristo (Rm. 8:17).

Sou santificado em Cristo (1 Co. 1:2).

Meu corpo é um membro de Cristo (1 Co. 6:15).

Tenho vitória em Cristo (1 Co. 15:57).

Triunfo em Cristo (2 Co. 2:14).

Sou uma nova criatura em Cristo (2 Co. 5:17).

Sou a justiça de Deus em Cristo (2 Co. 5:21).

Tenho liberdade em Cristo (Gl. 2:4).

Sou crucificado com Cristo (Gl. 2:20).

Estou revestido de Cristo (Gl. 3:27).

Sou um herdeiro de Deus por Cristo (Gl. 4:7).

Fui abençoado com bênçãos espirituais em lugares celestiais em Cristo (Ef. 1:3).

Fui escolhido em Cristo, diante da fundação do mundo, a ser santo e sem culpa diante de Deus (Ef. 1:4).

Obtive uma herança em Cristo (Ef. 1:11).

Sou vivificado em Cristo (Ef. 2:5).

Assento-me em lugares celestiais em Cristo (Ef. 2:6).

Fui criado em Cristo para fazer boas obras (Ef. 2:10).

Tenho ousadia e acesso em Cristo (Ef. 3:12).

Regozijo-me em Cristo (Fp. 3:3).

Prossigo para o alvo, pelo prêmio da soberana vocação de Deus em Cristo (Fp. 3:14).

Tudo posso em Cristo, que me fortalece (Fp. 4:13).

Deus supriu todas as minhas necessidades em Cristo (Fp. 4:19).

Cristo em mim é a esperança da glória (Cl. 1:27).

Sou completo em Cristo (Cl. 2:10).

Estou morto com Cristo (Cl. 2:20).

Sou ressurreto com Cristo (Cl. 3:1).

Minha vida está escondida com Cristo em Deus (Cl. 3:3).

Cristo é minha vida (Cl. 3:4).

Tenho a mente de Cristo (1 Co. 2:16).

Sou participante de Cristo (Hb. 3:14).

Sou guardado em Cristo (Jd. 1:1).

Orações de Reinos e Decretos

Venha o Teu reino; faça-se a Tua vontade (Mt. 6:10).

Que Teu reino avance e se estabeleça por meio do louvor, do ensinamento e da cura (Mt. 4:23).

Que os portões de minha casa e de minha cidade se abram para que entre o Rei da glória (Sl. 24:7).

Senhor, Tu reinas. Tu estás vestido com majestade e força. Teu trono está firme desde então. Tu és desde a eternidade (Sl. 93:1-2).

Senhor, Tu és um grande rei diante de todos os outros deuses (Sl. 95:3).

Que o pagão ouça que o Senhor reina (Sl. 96:10).

Senhor, Tu reinas. Faz as pessoas tremerem; faz a Terra mover-se (Sl. 99:1).

Senhor, Tu preparaste Teu trono nos céus e
Teu reino governa todos os outros (Sl. 103:19).

Que os homens abençoem o Senhor em todos
os lugares que Ele domina (Sl. 103:22).

Teu reino é um reino eterno e Teu domínio
perdura por todas as gerações (Sl. 145:13).

Que eu fale da glória do Teu reino
e relate Teu poder (Sl. 145:11).

Que os homens saibam de Teus atos poderosos
e da majestade do Teu reino (Sl. 145:12).

Que Teu reino venha pela libertação (Mt. 12:22).

Que o Evangelho do Reino seja louvado em
minha região com sinais e maravilhas.

Pai, recebo o Reino porque é um
prazer para Ti dá-lo a mim (Lc. 12:32).

Que a justiça, a paz e a alegria do Reino
se estabeleçam em minha vida (Rm. 14:17).

Que os reinos deste mundo tornem-se reinos
do nosso Senhor e de seu Cristo (Ap. 11:15).

Que os santos possuam o Reino (Dn. 7:22).

Transtornarei os tronos de reinos ímpios (Ag. 2:22).

Leva-me a salvo para Teu
reino celestial (2 Tm. 4:18).

Que o cetro do Teu reino seja lançado (Hb. 1:8).

Buscarei primeiro o reino e a justiça de Deus, e
todas as coisas me serão acrescentadas (Mt. 6:33).

Quebra em pedaços e consuma cada reino
demoníaco que resistir ao Teu domínio (Sl. 72:8).

Que todos os domínios Te sirvam e
obedeçam, Ó Senhor (Dn. 7:27).

Orações que Lançam o Fogo de Deus

Teu trono, Ó Senhor, é como o fogo ardente (Dn. 7:9).

Tu és o Deus que responde pelo fogo (1 Rs. 18:24).

Um fogo vai diante de Ti, Ó Senhor, e
abrasa Teus inimigos (Sl. 97:3).

Senhor, lança Teu fogo e abrasa as obras das trevas.

Batiza-me com o Espírito Santo e com fogo (Lc. 3:16).

Que Teu fogo esteja em minhas mãos para
curar o enfermo e expulsar os demônios.

Que Teu fogo abrase em meus olhos, meu coração,
meu ventre, minha boca e em meus pés.

Que Teu fogo esteja em minha
língua para pregar e profetizar.

Recebo línguas de fogo.

Que a Tua Palavra seja pregada com fogo (Jr. 23:29).

Faz de mim um ministro do fogo (Hb. 1:7).

Livra-me com Teu fogo (Sl. 18:13).

Que Teu fogo me proteja e me cubra (Êx. 14:24).

Lanço o fogo de Deus para
abrasar os ídolos da terra (Dt. 7:5).

Que as obras de bruxaria e ocultismo sejam
abrasadas em Teu fogo (At. 19:19).

Purifica minha vida com Teu fogo (Ml. 3:2).

Que Teu fogo seja lançado em Sião (Is. 31:9).

Que os espíritos da luxúria e da perversão sejam destruídos com Teu fogo (Gn. 19:24).

Lança os espíritos de fogo para abrasarem as obras das trevas (Sl. 140:10).

Que Tua chama queime os espíritos malignos (106:18).

Que a Tua glória ateie um incêndio, como um incêndio de fogo (Is. 10:16).

Que a Tua gloriosa voz seja ouvida. Que desças Teu braço com uma chama de fogo devorador, raios, dilúvio e pedras de saraiva (Is. 30:30).

Que a Babilônia seja como pragana, e que Teu fogo abrase-a. Que eles não sejam capazes de livrarem a si mesmos do poder das chamas (Is. 47:14).

Senhor, vem e repreende Teus inimigos com chamas de fogo (Is. 66:15).

Que toda carne veja Teu fogo lançado (Ez. 20:48).

Cria sobre Sião uma chama ardente pela noite (Is. 4:5).

Que o fogo da Tua presença seja
lançado em minha vida (Sl. 97:5).

Que os demônios sejam lançados ao fogo (At. 28:3).

Lança Teus raios quentes contra o Inimigo (Sl. 78:48).

Envia Teus relâmpagos e
desordena o Inimigo (Sl. 144:6).

Que Tua luz seja o fogo e Teu Santo seja a labareda para abrasar os espinheiros e as sarças em minha vida (Is. 10:17).

Orações para o Dia, a Tarde e a Noite

Ordeno que o dia dê ordem à madrugada para que os ímpios sejam sacudidos dela (Jó 38:12).

Dominarei o demônio na manhã (Sl. 49:14).

Senhor, faz alegres as saídas da
manhã e da tarde (Sl. 65:8).

Recebo Tua benignidade toda manhã (Sl. 143:8).

Liberta a beleza de Tua santidade
na madre da alva (Sl. 110:3).

Que a Tua luz entre em minha
vida como a manhã (Sl. 58:8).

Que Teus julgamentos cheguem ao
Inimigo a cada manhã (Is. 28:19).

Senhor, Tua saída é preparada como a manhã,
e oramos para que Tu venhas como a chuva,
como a chuva serôdia que rega a Terra (Os. 6:3).

Senhor, Tu me visitas a cada manhã (Jó 7:18).

Senhor, Tu me acordas de manhã em manhã.
Tu despertas meus ouvidos para ouvir
como os que aprendem (Is. 50:4).

Não temerei a seta que voa de dia ou o
terror que vem de noite (Sl. 91:5).

Senhor, mostra a Tua salvação em minha
vida dia após dia (Sl. 96:2).

Amarro todas as criaturas noturnas,
em nome de Jesus (Is. 34:14).

Amarro qualquer ataque em minha vida de noite.

Tenho autoridade sobre todo demônio que vier contra mim e minha família de noite.

Repreende o bramido dos inimigos que querem atacar a mim e a minha família durante a noite, em nome de Jesus (Is. 17:12-14).

Amarro e repreendo todo espírito que queira rastejar contra mim durante a noite (Sl. 104:20).

Amarro e repreendo a peste que caminha na escuridão (Sl. 91:6).

Descansarei durante a noite porque o Senhor me dá o sono.

Que Teus anjos me guardem e protejam à noite.

Senhor, dá-me liberdade de noite (At. 12:6-7).

Senhor, que meu coração me instrua de noite (Sl. 16:7; NVI).

Tua canção estará comigo na noite (Sl. 42:8).

Meditarei em Ti nas vigílias da noite (Sl. 63:6).

Recebo Tua sabedoria na noite (Sl. 19:2).

Recebo a Tua fé a cada noite (Sl. 92:2).

Amarro e repreendo cada espírito vampirizado, em nome de Jesus (Lv. 11:19).

Amarro e repreendo todo espírito íncubo e súcubo que atacar durante a noite, em nome de Jesus.

Com autoridade, amarro todo pesadelo e sonhos demoníacos à noite, em nome de Jesus.

Permaneço em meu posto a noite toda (Is. 21:8).

Lançando a Espada do Senhor

Lanço a espada do Senhor contra os poderes do inferno, em nome de Jesus (Jz. 7:18).

Afiarei minha espada brilhante e renderei Tua vingança contra o Inimigo (Dt. 32:41).

Cinge Tua espada sobre o Teu flanco e cavalga prosperamente na Terra (Sl. 45:3).

Que Teus inimigos caiam pela espada (Sl. 63:10).

Que os assírios caiam pela espada (Is. 31:8).

Lanço a espada do Senhor contra o Leviatã (Is. 27:1).

Envia Teus anjos com espadas flamejantes
para lutar minhas batalhas nos céus.

Lança a espada de dois gumes
para fazer justiça (Sl. 149:6).

Lança a espada de Tua boca
contra o Inimigo (Ap. 19:15).

Lançando as Flechas do Senhor

Lanço a flecha do livramento do
Senhor em minha vida (2 Rs. 13:17).

Coloco Tuas lanças afiadas no coração
dos reis dos inimigos (Sl. 45:5).

Ordena e lança Tuas flechas contra
meus perseguidores (Sl. 7:13).

Envia Tuas flechas e espalha os inimigos (Sl. 18:14).

Faz meus inimigos virarem as costas para Ti e
mira-os com Teu arco (Sl. 21:12).

Lança Tuas flechas e destrua meus inimigos (Sl. 144:6).

Envia Tuas flechas para fora (Sl. 77:17).

Envia flechas de luz ao reino das trevas (Hc. 3:11).

Amontoa males e esgota Tuas flechas contra eles (Dt. 32:23).

Lança Tuas flechas sobre eles, e serão feridos imediatamente (Sl. 64:7).

Que Tua flecha vá como relâmpago contra o inimigo (Zc. 9:14).

Quebra os ossos deles e os atravessa com Tuas flechas (Nm. 24:8).

Atira em Teus inimigos com Tuas flechas (Sl. 64:7).

Deixa Tua marca em meus inimigos com Tuas setas (Lm. 3:12).

Faz Tuas setas claras e lança a Tua vingança contra os inimigos (Jr. 51:11).

Expulsando e Quebrando Maldições Hereditárias

Sou remido da maldição da lei (Gl. 3:13).

Quebro todas as maldições de orgulho, luxúria, perversão, rebelião, bruxaria, idolatria, miséria, rejeição, medo, confusão, vício, morte e destruição, em nome de Jesus.

Ordeno que saiam todos os espíritos que entraram em minha vida durante a concepção, no ventre, no parto normal e pelo cordão umbilical, em nome de Jesus.

Quebro todas as maldições faladas e palavras negativas que usei em minha vida, em nome de Jesus.

Quebro todas as maldições faladas e palavras negativas usadas por outros em minha vida, incluindo as de autoridade, em nome de Jesus.

Ordeno que saia da minha vida todo espírito hereditário de luxúria, rejeição, medo, doença, enfermidade, ira, ódio, confusão, fracasso e miséria, em nome de Jesus.

Quebro os direitos legais de todos os espíritos que agem por trás da maldição, em nome de Jesus. Vocês não têm o direito de agir em minha vida.

Amarro e repreendo todos os adivinhadores e guias espirituais de meus antepassados que tentem agir em minha vida, em nome de Jesus.

Renuncio todas as falsas crenças e filosofias herdadas por meus ancestrais, em nome de Jesus.

Quebro todas as maldições em minhas finanças de qualquer ancestral que tenha enganado ou não cuidado devidamente do dinheiro, em nome de Jesus.

Quebro todas as maldições de doença e moléstia e ordeno que todas as doenças herdadas deixem meu corpo, em nome de Jesus.

Em Jesus, minha família é abençoada (Gn. 12:3).

Renuncio todo orgulho herdado de meus ancestrais, em nome de Jesus.

Quebro todos os juramentos, votos e pactos feitos com o demônio pelos meus ancestrais, em nome de Jesus.

Quebro todas as maldições que os agentes de Satanás fizeram em segredo contra minha vida, em nome de Jesus (Sl. 10:7).

Quebro toda maldição escrita que afete a minha vida, em nome de Jesus (2 Cr. 34:24).

Quebro toda maldição lançada em minha vida enquanto eu cresço, em nome de Jesus.

Quebro toda maldição assalariada por Balaão contra minha vida em nome de Jesus (Ne. 13:2).

Senhor, transforma cada maldição lançada em minha vida em bênção (Ne. 13:2).

Quebro toda rebelião que possa me fazer resistir ao Espírito Santo (At. 7:51).

Quebro toda maldição de morte falada por autoridades de minha nação, em nome de Jesus.

Quebro as maldições de morte lançadas contra nosso país pelas pessoas de outras nações, em nome de Jesus.

Anulando Alianças Ímpias

Quebro e anulo todas as alianças ímpias, juramentos e promessas que fiz com meus lábios, em nome de Jesus.

Renuncio e quebro todos os juramentos ímpios feitos por meus ancestrais a ídolos, demônios, religiões falsas ou organizações ímpias, em nome de Jesus (Mt. 5:33).

Quebro e anulo toda aliança feita com a morte e com o inferno pelos meus ancestrais, em nome de Jesus.

Quebro e anulo toda aliança ímpia feita com ídolos ou demônios pelos meus ancestrais, em nome de Jesus (Êx. 23:32).

Quebro e anulo todos os pactos de sangue feitos por meio de sacrifício que possam afetar minha vida, em nome de Jesus.

Ordeno que saiam todos os demônios que afirmam ter direitos legais sobre minha vida por meio de pactos que vieram à tona, em nome de Jesus.

Quebro e anulo qualquer aliança feita com falsos deuses e demônios por meio de envolvimento oculto e bruxaria, em nome de Jesus.

Quebro e anulo todos os espíritos do matrimônio que possam atrair íncubos e súcubos para atacar minha vida, em nome de Jesus.

Quebro e anulo qualquer união com qualquer demônio que queira afetar minha vida, em nome de Jesus.

Quebro todos os pactos com o inferno, em nome de Jesus (Is. 28:18).

Tenho uma aliança com Deus pelo sangue de Jesus.

Regozijo no Senhor e sou um espírito com Ele. Quebro toda aliança ímpia e renovo minha aliança com Deus pelo corpo e pelo sangue de Jesus.

Repreendo qualquer demônio que queira reivindicar minha vida por intermédio de qualquer aliança hereditária, em nome de Jesus.

Amarro e expulso qualquer demônio que possa me perseguir por causa de alianças hereditárias, em nome de Jesus.

SEÇÃO 2

PREPARANDO-SE PARA ENFRENTAR O INIMIGO

O QUE FAZ UMA PESSOA TER SUCESSO EM UMA GUERRA ESPIRITUAL? Algumas qualificações incluem:

- *Resistência* (2 Tm. 2:3) – a habilidade de resistir e superar o sofrimento, a adversidade ou o estresse. Suportamos as tristezas como bons soldados de Jesus;
- *Ódio* (Sl. 139:22) – aversão extrema ou antipatia, repugnância. Na guerra espiritual, devemos ter ódio do mal e dos maus espíritos;
- *Conhecimento* (2 Co. 2:11) – não devemos ser ignorantes aos artifícios de Satanás;
- *Persistência* (Sl. 18:37) – a habilidade de ir decididamente e com teimosia de encontro à maldade da opressão. Devemos ser persistentes ao lidar com o inimigo;
- *Separação* (2 Tm. 2:14) – afastar-se ou manter distância. Nenhum homem que guerreia se envolve com os assuntos deste mundo.

Deus usa pessoas comuns para cumprir Seus propósitos. Nossa habilidade vem pela graça. Cada fiel está assentado em lugares celestiais em Cristo. Sua posição em Cristo é muito maior do que a de qualquer principado ou potestade. Você deve ver quem você é *em Cristo*. Você pode fazer todas as coisas por intermédio dele.

É importante saber que a sua autoridade e enfrentamento com o inimigo se dá pela fé. Não é preciso temer. Os demônios são submetidos à autoridade do povo de Deus. Jesus nos dá poder para pisar nas serpentes e escorpiões (Lc. 10:19). Ele prometeu que nada nos causará nenhum dano.

Josué foi escolhido para enfrentar o inimigo (Dt. 2:24). Você verá grandes vitórias pelo enfrentamento. *Enfrentar* significa atacar de frente, encarar, defrontar. Há fiéis que temem o enfrentamento. Eles têm medo da reação do adversário. Jesus enviou Seus discípulos para enfrentar o inimigo. Eles foram escolhidos para curar o enfermo e expulsar os demônios.

Duas revelações importantes e ncessárias para todo fiel são o entendimento do *poder* e da *autoridade*. *Poder* vem do grego *dunamis*. *Autoridade* é a palavra grega *exousia*. Autoridade é o direito legal de usar poder. Temos autoridade para usar o poder dado pelo Espírito Santo.

Autoridade e poder devem ser usados. Use-os pela fé. O uso não é baseado no sentimento, mas na fé. É baseado na Palavra de Deus. A fé vem pelo ouvir a Palavra de Deus. É importante que os fiéis compareçam às igrejas que ensinam com poder e autoridade. É importante ler e estudar estes assuntos. A revelação nestas áreas dará confiança para fazer as orações.

Foi dado a nós o direito legal de usar o nome de Jesus. O nome de Jesus está acima de qualquer outro. A autoridade no nome de Jesus é reconhecida pelo espírito do Reino. Nós expulsamos demônios em nome dele. Nós amarramos as obras das trevas em nome dele. Nós ensinamos e pregamos em nome dele.

Recebemos poder por meio do Espírito Santo (At. 1:8). Deus pode fazer muito mais segundo o poder que opera em nós. Jesus expulsa demônios pelo poder do Espírito Santo (Mt. 12:28). Unimos o poder do Espírito Santo à autoridade do nome de Jesus para derrotar o Inimigo. Não enfrentamos o Inimigo com nosso próprio poder e autoridade. Enfrentamo-no pelo poder do Espírito Santo e pela autoridade do nome de Jesus.

Os demônios reconhecem o poder da autoridade. Eles reconhecem os fiéis que trabalham com este poder. Quanto mais exercitarmos poder e autoridade, mais desenvolveremos essas áreas. É importante começar. As orações deste livro lhe ajudarão a começar.

Também é importante ter a certeza de que seus pecados foram perdoados ao enfrentar o inimigo. Se confessarmos nossos pecados, Ele será fiel e justo para nos perdoar e nos purificar de toda a injustiça. Não enfrente o inimigo sem confessar algum pecado em sua vida. Há poder no sangue de Jesus. O sangue dele nos purifica de todo pecado. Não dê espaço para o demônio. Você deve trabalhar na justiça. Somos feitos justos pela fé. Somos justos de Deus em Cristo (2 Co. 5:21). Muitos fiéis sofrem com sentimentos de inferioridade e baixa autoestima porque não entendem a justiça. A justiça nos dá confiança. A justiça nos dá ousadia. A justiça é o cetro do Reino (Hb. 1:8). A justiça é tão ousada quanto um leão (Pv. 28:1).

Deus cobre nossas cabeças no dia da batalha (Sl. 140:7). A capa é proteção. A cobertura é baseada na submissão a Deus, à Sua Palavra e ao Espírito Santo. Humildade e submissão são características importantes dos servos que enfrentam a guerra espiritual. Estas orações não são para pessoas rebeldes. É importante ser submisso para adequar-se à autoridade da Bíblia. Isto inclui ser submisso aos líderes religiosos que guardam a sua alma.

Orações por Segurança e Proteção Divina

Cubro a mim mesmo, minha família e minhas posses com o sangue de Jesus.

Que o fogo de Deus cerque e proteja minha vida de toda destruição.

Que o anjo do Senhor acampe à minha volta e me proteja (Sl. 34:7).

Que a Tua glória seja minha capa e proteja minhas costas.

Sustenta-me, e serei salvo (Sl. 119:117).

O nome de Jesus é uma torre forte. Corro para ela e estou salvo (Pv. 18:10).

Senhor, Tu me fazes habitar em segurança (Sl. 4:8).

Dá-me a segurança que tanto anseio (Sl. 12:5; NVI).

Que eu habite com segurança em minha terra (Lv. 26:5).

Guia-me com segurança e não temerei.
Que o mar cubra meus inimigos (Sl. 78:53).

Que eu me deite e descanse em
segurança (Jó 11:18; Is. 14:30).

Habitarei em segurança; não haverá
nada que me espante (Ez. 34:28).

Guarda-me como a menina dos Teus olhos
e esconde-me na sombra de Tuas asas (Sl. 17:8).

Creio no abrigo de Tuas asas (Sl. 61:4).

Na sombra de Tuas asas eu confio (Sl. 57:1).

Que Tu sejas meu abrigo da
tempestade e da chuva (Is. 4:6).

Cobre minha cabeça no dia da batalha (Sl. 140:7).

Cobre-me com a sombra de Tua mão (Is. 51:16).

Cobre-me com Tuas penas (Sl. 91:4).

Que Tu sejas minha proteção e refúgio (Sl. 59:16).

Protege-me e livra-me (Is. 31:5).

Que a Tua glória seja minha proteção (Is. 4:5).

Protege-me daqueles que se levantam
contra mim (Sl. 59:1).

Senhor, Tu és meu escudo e meu refúgio (Sl. 119:114).

Senhor, envolve-me com Teu
escudo de proteção (Sl. 5:12).

Abate-os, Ó Senhor, meu escudo (Sl. 59:11).

Que a Tua verdade seja meu escudo (Sl. 91:4).

Senhor, Tu és meu sol e escudo (Sl. 84:11).

Senhor, Tu és meu escudo e
grandíssimo galardão (Gn. 15:1).

Não terei medo de dez milhares de pessoas
que se coloquem contra mim, porque
Tu és meu escudo (Sl. 3:1-6).

Tu és uma torre forte contra o Inimigo (Sl. 61:3).

Orações para Liberar o Braço do Senhor

Nenhum outro tem um braço como o Teu, Senhor, cheio de poder e força (Jó 40:9).

Senhor, Tu tens um braço forte. Forte é a Tua mão, e elevada é a Tua destra (Sl. 89:13).

Alonga Teu braço, me livra e me liberta de toda a escravidão (Êx. 6:6).

Que o espanto e o pavor caiam sobre os inimigos pela grandeza de Teu braço, até que eu passe (Êx. 15:16).

Auxilia-me, e que Teu braço direito leve-me à minha propriedade (Sl. 44:3).

Quebra Raabe em pedaços e espalha Teus inimigos com Teu braço forte (Sl. 89:10).

Que Tua mão se estabeleça sobre mim, e Teu braço se firme em mim (Sl. 89:21).

Tua destra e Teu braço santo me dão a vitória (Sl. 98:1).

Mostra Teu relâmpago abaixando Teu braço contra meus inimigos (Is. 30:30).

Creio em Teu braço para minha salvação (Is. 51:5).

Desperta, desperta, veste-te de força, ó braço do Senhor; desperta como nos dias passados. Corta a Raabe e fere o dragão (Is. 51:9).

Desnuda Teu santo braço às vistas de todas as nações, e tudo que é carnal verá Tua salvação (Is. 52:10).

Mostra força com Teu braço e dissipa os orgulhosos (Lc. 1:51).

Revela Teu braço para mim, para que eu possa conhecer Tua força e poder.

Que o poder em Tuas mãos seja lançado em minha vida (Hc. 3:4).

Liberando o Poder de Deus

Senhor, lança Teu glorioso poder contra o inimigo (Êx. 15:6).

Que o poder e a firmeza sejam lançados de Tua mão (1 Cr. 29:12).

Dissipa o inimigo com Teu poder (Sl. 59:11).

Domina Teus inimigos pelo Teu poder (Sl. 66:7).

Que o poder de Tua ira seja lançado
contra os poderes das trevas (Sl. 90:11).

Lanço o poder da autoridade do Senhor
contra todos os demônios que eu
encontrar, em nome de Jesus (Mt. 10:1).

Estou livre do poder de Satanás em Deus (At. 26:18).

Divide o mar e destrua seus
espíritos pelo Teu poder (Ef. 26:12).

Fortalecerei-me no Senhor e na
força do Seu poder (Ef. 6:10).

Faz os poderes das trevas se submeterem ao Teu poder.

Mostra Teu poder para que os homens creiam.

Lança Teu poder em cura e livramento (Lc. 5:17).

Lança Tua voz poderosa (Sl. 29:4).

Que eu fique maravilhado com Teu poder (Lc. 9:43).

Que o grande poder seja lançado por meio
de Teus apóstolos (At. 4:33).

Que as visões, as maravilhas e os milagres sejam lançados por meio do poder do Espírito Santo (Rm. 15:19).

Que eu pregue e ensine com a demonstração do Espírito e do poder (1 Co. 2:4).

Que Teu poder opere em mim (Ef. 3:20).

Lança Teus anjos poderosos em meu favor para lutar minhas batalhas nos céus (2 Pe. 2:11; Ap. 18:1).

Lança o poder de Elias por meio de Teus profetas (Lc. 1:17).

Que eu seja voluntário no dia do Teu poder (Sl. 110:3).

Liberando o Poder do Sangue

Cubro minha mente e pensamentos com o sangue de Jesus.

Cubro as ombreiras das portas e meus bens com o sangue de Jesus (Êx. 12:13).

Venço o demônio pelo sangue de Jesus (Ap. 12:11).

Purifico-me pelo sangue de Jesus e recebo
a paz e a graça multiplicadas (1 Pe. 1:2).

Sou aperfeiçoado pelo sangue
do abrigo eterno (Hb. 13:20-21).

Tenho ousadia para entrar na presença
de Deus pelo sangue (Hb. 10:19).

Minha consciência está purificada dos atos que
levam à morte, para que eu sirva ao Deus
vivo pelo sangue de Jesus (Hb. 9:14).

Como a carne de Jesus e bebo Seu sangue (Jo. 6:54).

Tenho a redenção pelo sangue de
Jesus e sou remido do poder do mal (Ef. 1:7).

Repreendo todos espíritos de tormento e temor,
porque tenho paz pelo espírito de Jesus (Cl. 1:20).

Recebo as benfeitorias do novo acordo
pelo sangue de Jesus (Mt. 26:28).

Recebo a cura e a saúde pelo sangue de Jesus.

Recebo abundância e prosperidade
pelo sangue de Jesus.

Recebo livramento pelo sangue de Jesus.

O sangue de Jesus é testemunha para
meu livramento e minha salvação (1 Jo. 5:8).

O sangue de Jesus me purifica
de todo pecado (1 Jo. 1:7).

Jesus resistiu ao sangue e Seu
sangue me dá a vitória (Hb. 12:4).

Repreendo e expulso todos os demônios de culpa,
vergonha e condenação pelo sangue de Jesus.

Quebro o poder do pecado e a iniquidade em
minha vida pelo sangue de Jesus (Hb. 10:17).

Meu coração é aspergido e purificado de
uma consciência culpada pelo sangue
de Jesus (Hb. 10:22; NVI).

Repreendo Satanás, o acusador de nossos
irmãos, pelo sangue de Jesus (Ap. 12:10).

Ordeno a todos os meus acusadores que se
afastem pelo sangue de Jesus (Jo. 8:10).

Repreendo e expulso todos os espíritos de calúnia e acusação pelo sangue de Jesus (Mt. 12:10).

Lanço a voz do sangue contra demônios e maus espíritos que acusam e condenam a mim (Hb. 12:24).

Orações de Guerra

Senhor, ensina minhas mãos a guerrear e meus dedos a lutar (Sl. 144:1).

Senhor, sou Teu guerreiro do Fim dos Tempos. Usa-me como Tua arma contra o Inimigo (2 Cr. 11:1).

As armas de minha guerra não são carnais, mas firmes em Ti para destruir as fortalezas (2 Co. 10:4).

Satanás, tu perdeste a guerra no céu (Ap. 12:7).

Que todos os inimigos que querem guerra com o Cordeiro sejam destruídos (Ap. 17:14).

Não guerreio com a carne, mas com o espírito (2 Co. 10:3).

Senhor, troveja contra o Inimigo; lança Tua voz; e haverá pedras de granizo e brasas de fogo (Sl. 18:13).

Envia Tuas setas e dissipa os inimigos.
Mostra a Tua luz e os derrota (Sl. 18:14).

Livra-me de meu inimigo forte, daquele
que é muito forte para mim (Sl. 18:17).

Livra-me e me leva a um lugar espaçoso (Sl. 18:19).

Sou Teu machado de batalha e
Tua arma de guerra (Jr. 51:20).

Tu me deste o pescoço dos meus inimigos
e irei destruí-los, em nome de Jesus (Sl. 18:40).

Sou Teu ungido, e Tu me deste
grande livramento (Sl. 18:50).

Reduzirei-os a pó e neles pisarei como
a lama das ruas (Sl. 18:42; NVI).

Persegui meus inimigos e os alcancei.
Não voltarei antes de tê-los destruído (Sl. 18:37).

Feri-os, e não se levantarão mais.
Caíram em meus pés (Sl. 18:38).

Piso no leão e na víbora. Calcarei aos
pés o filho do leão e da cobra (Sl. 91:13).

Piso nas serpentes e escorpiões e em todo poder do Inimigo, e nada vai me ferir (Lc. 10:19).

Piso nos ímpios; eles são cinzas sob meus pés (Ml. 4:3).

Levantarei, e trilharei, e reduzirei o Inimigo a pó (Mq. 4:13).

Repreendo cada javali selvagem, em nome de Jesus (Sl. 80:13).

Repreendo todo espírito que se arrasta na floresta (Sl. 104:20).

Repreendo toda besta da floresta que vem para comer (Is. 56:9).

Repreendo todo leão da floresta que vem para matar (Jr. 5:6).

Fecho a porta para qualquer rato demoníaco que tente chegar em minha vida, em nome de Jesus (Is. 66:17).

Amarro e expulso todo ladrão que tente roubar meus tesuros, em nome de Jesus (Jo. 10:10).

Amarro e expulso qualquer espírito que tente roubar minha alegria, em nome de Jesus.

Amarro, desmascaro e expulso qualquer demônio que tente entrar em minha vida pela discrição (sem ser percebido) (2 Sm. 19:3).

Senhor, purifica meu templo e lança fora qualquer ladrão de minha vida (João 2:14-15).

Senhor, levanta a Tua bandeira contra qualquer corrente de água que o inimigo tente trazer para minha vida (Is. 59:19).

Amarro e expulso todo vidente que tente operar em minha vida, em nome de Jesus (Is. 8:19).

Amarro e repreendo qualquer demônio que tente bloquear meu caminho, em nome de Jesus (Mt. 8:28).

Removo toda influência de malícia e de impiedade da minha vida (1 Co. 5:8).

Repreendo e expulso qualquer espírito imundo de minha vida, em nome de Jesus (Ap. 16:13).

Repreendo e expulso os demônios dos altares, em nome de Jesus (2 Cr. 11:15).

Rompo qualquer relação com demônios pelo
pecado, pela carne ou pelo sacrifício,
em nome de Jesus (1 Co. 10:20).

Ordeno que todos os demônios deixem meus
filhos, em nome de Jesus (Mc. 7:29).

Senhor, desmascara qualquer pessoa com
influências malignas em minha vida (João 6:70).

Senhor, desmascara qualquer filho do demônio
que tente entrar em minha igreja (At. 13:10).

Que todo espírito escondido de mim seja
revelado, em nome de Jesus (Js. 10:16).

Que toda armadilha escondida sob
meus pés seja revelada (Jr. 18:22).

Repreendo e oponho-me a toda
artimanha do demônio (Ef. 6:11).

Livro a mim mesmo de qualquer armadilha do
demônio, em nome de Jesus (2 Tm. 2:26).

Não cairei na condenação do diabo (1 Tm. 3:6).

Senhor, que nenhuma doutrina do Inimigo
se estabeleça em minha vida (1Tm 4:1).

Anulo o poder de qualquer sacrifício feito
a demônios em minha cidade, região ou
nação, em nome de Jesus (Lv. 17:7).

Amarro e repreendo Moloque e qualquer espírito
designado a frustrar meus planos (Lv. 18:21).

Dá-me força para cumprir meu destino (Is. 66:9).

Venço cada espírito anticristo, pois maior é Aquele que
está em mim do que o que está no mundo (1 Jo. 4:4-5).

Liberto-me de cada espírito de erro,
em nome de Jesus (1 Jo. 4:6).

Senhor, que eu não aja segundo o
espírito enganoso (Lc. 9:55).

Liberto-me de cada espírito de prostituição,
em nome de Jesus (Os. 4:12).

Que eu tenha e caminhe em um
excelente espírito (Dn. 6:3).

Terei atenção para com meu
espírito a todo tempo (Ml. 2:15).

Amarro e expulso qualquer espírito que tente estragar minha vida de qualquer maneira, em nome de Jesus (Mc. 9:20).

Senhor, que eu faça Tua vontade (Ag. 1:14).

Amarro e expulso qualquer demônio de sonolência de minha vida, em nome de Jesus (2 Timóteo 1:7).

Amarro e expulso todo espírito sedutor que entre em meu caminho, em nome de Jesus (1 Timóteo 4:1).

Amarro e repreendo o anjo da luz, em nome de Jesus (2 Co. 11:14).

Rejeito todos os falsos ministérios apostólicos, em nome de Jesus (2 Co 11:13).

Rejeito todo falso profeta, em nome de Jesus (Mt. 7:15).

Rejeito todo falso doutor, em nome de Jesus (2 Pe. 2:1).

Revela todo falso irmão a mim (2 Co. 11:26).

Rejeito a boca da vaidade e a destra da falsidade (Sl. 144:8).

Rejeito toda falsa visão e falsa palavra profética lançada em minha vida (Jr. 14:14).

Não permito que Satanás, o enganador, lance qualquer mentira sobre minha vida (Ap. 12:9).

Amarro e expulso todo espírito de autoengano, em nome de Jesus (1 Co. 3:18).

Amarro e expulso qualquer espírito de feitiçaria que possa me enganar, em nome de Jesus (Ap. 18:23).

Senhor, não deixe nenhum homem me enganar (Mt. 24:4).

Amarro e repreendo qualquer encanto que possa me desviar da obediência à verdade (Gl. 3:1).

Oro para que me seja dada, ao abrir de minha boca, a ousadia para fazer conhecido o mistério do Evangelho (Ef. 6:19).

Livra-me da mão do ímpio e do insensato (2 Ts. 3:2).

Espíritos maus deixam minha vida no momento em que escuto e levo a Palavra (Mt. 8:16).

Amarro, silencio e expulso o vingador (Sl. 8:2).

Amarro e expulso qualquer espírito rastejante que tente se arrastar até minha vida (Ez. 8:10).

Que o martelo do ímpio seja quebrado (Jr. 50:23).

Renuncio qualquer sabedoria terrena, sensual e demoníaca (Tg. 3:15).

Expulsarei demônios e serei consumado (Lc. 13:32).

Que todo faraó que persiga minha família seja afogado no mar (Êx. 15:4).

Repreendo toda abelha demoníaca que me cerque, em nome de Jesus (Sl. 118:12).

Amarro e expulso qualquer espírito de Absalão que tente roubar meu coração da liderança de Deus (2 Sm. 15:6).

Dormirei bem. Não serei acordado por nenhum espírito de inquietude e insônia (Sl. 3:5).

Rirei do Inimigo no Espírito Santo (Sl. 2:4).

Corto as cordas da impiedade em minha vida (Sl. 129:4).

Que cada corda que o inimigo tente amarrar
em volta de minha vida seja como fios
de linho flamejantes (Jz. 15:14).

Derrubo qualquer muro de Jericó (Js. 6:5).

Senhor, purifica minha vida das
culpas ocultas (Sl. 19:12).

Senhor, que o Teu segredo esteja
em meu tabernáculo (Jó 29:4).

Conduza-me e guia-me por
amor ao Teu nome (Sl. 31:3).

Guia-me continuamente (Is. 58:11).

Guia-me para toda a verdade (João 16:13).

Guia-me com Teus olhos (Sl. 32:8).

Que eu guie meus assuntos com discrição (Sl. 112:5).

Guia-me com Tuas sábias mãos (Sl. 78:72).

Conduza-me à vereda segura, por
causa de meus inimigos (Sl. 27:11).

Conduza-me não à tentação, mas
livra-me do mal (Mt. 6:13).

Conduza-me e faz Teu caminho
endireitar-se diante de mim (Is. 40:4).

Envia Tua luz e verdade, e
deixa-as me guiarem (Sl. 43:3).

Faz das trevas luz diante de mim, e de tudo
que é tortuoso, faça linha reta (Is. 42:16).

Ensina-me a fazer a Tua vontade e
conduza-me à terra da justiça (Sl. 143:10).

Dá-me vestes de louvor em vez de
espírito angustiado (Is. 61:3).

Dá-me vestes da salvação (Is. 61:10).

Visto-me das minhas roupas formosas (Is. 52:1).

Que minhas vestes sempre estejam brancas (Ec. 9:8).

Que eu esteja vestido com humildade (1 Pe. 5:5).

Cobre-me com o manto da justiça (Is. 61:10).

Que minhas roupas estejam cheias
da Tua virtude (Mc. 5:30).

Que um manto de poder repouse
sobre minha vida (2 Rs. 2:8).

Senhor, dá-me sabedoria em cada área em
que eu necessitar (Tg. 1:5).

Orações para Arrancar pela Raiz

Que cada planta não cultivada pelo meu Pai seja
arrancada pela raiz, em nome de Jesus.

Cortarei com machado toda raiz
de árvore do mal em minha vida.

Corta toda geração ímpia e afasta-a
de mim, em nome de Jesus.

Faz as raízes de impiedade se descomporem.

Ordeno que cada árvore do mal seja
arrancada e afundada no mar (Lc. 17:6).

Faça Teu fogo sagrado queimar
cada raiz ímpia, em nome de Jesus (Ml. 4:1).

Arranca a confiança do inimigo (Jó 18:14).

Corta toda raiz de amargura de minha vida (Hb. 12:15).

Lança a palavra profética para arrancar os maus reinos (Jr. 1:10).

Arranca cada pessoa má que esteja plantada em minha igreja.

Arranca qualquer raiz de doença plantada em meu corpo, em nome de Jesus.

Arranca cada falso ministro que tenha se enraizado em minha cidade.

Arranca cada espinheiro e urtiga de minha vida, em nome de Jesus.

Queima todos os espinhos de minha vida, em nome de Jesus (Is. 10:17).

Expulsa todos os espíritos enraizados na rejeição, em nome de Jesus.

Expulsa todos os espíritos enraizados no orgulho, em nome de Jesus.

Expulsa todos os espíritos enraizados
na rebelião, em nome de Jesus.

Expulsa todos os espíritos enraizados
no medo, em nome de Jesus.

Expulsa todos os espíritos enraizados na luxúria
e no pecado sexual, em nome de Jesus.

Expulsa todos os espíritos enraizados
em maldições, em nome de Jesus.

Expulsa todos os espíritos enraizados
em bruxarias, em nome de Jesus.

Expulsa todos os espíritos enraizados em
alguma parte do meu corpo e dos meus
órgãos, em nome de Jesus.

Orações Contra Satanás (O Demônio)

Satanás, o Senhor te repreende (Zc. 3:2).

Vai-te, Satanás, porque está escrito (Mt. 4:10).

Vai-te para trás de mim, Satanás,
porque está escrito (Lc. 4:8).

Vi Satanás, como um relâmpago, cair do céu (Lc 10:18).

Liberto-me de toda ligação com Satanás, em nome de Jesus (Lc. 13:16).

Esmago Satanás sob meus pés (Rm. 16:20).

Amarro e repreendo todo espírito oculto de Satanás, em nome de Jesus (1 Ts. 2:18).

Renuncio toda ira ímpia e não dou lugar ao demônio (Ef. 4:27).

Oro para vencer qualquer prova que Satanás traga para minha vida (Lc. 22:31).

Sou livre do poder de Satanás por Deus (At. 26:18).

Impeço o ladrão de roubar, matar ou de me destruir (João 10:10).

Senhor, remove a morada de Satanás de minha região, cidade e nação (Ap. 2:13).

Senhor, remove cada sinagoga de Satanás de minha cidade, região e nação (Ap. 3:9).

Amarro e repreendo toda cólera do demônio direcionada à minha vida (Ap. 12:12).

Demônio, eu resisto a ti. Fuja. (Tg. 4:7).

Estou sóbrio e atento ao meu adversário, o demônio (1 Pe. 5:8).

Repreendendo o Inimigo

Satanás, o Senhor te repreende (Zc. 3:2).

Que o inimigo pereça em Tua repreensão, Ó Senhor (Sl. 80:16).

Que o Inimigo fuja de Tua repreensão, Ó Senhor (Sl. 104:7).

Repreendo todos os ventos de tempestades que o inimigo enviou contra minha vida (Mc. 4:39).

Repreenda a companhia dos lanceiros e das multidões de touros até que se submetam (Sl. 68:30).

Repreenda aqueles que me apressam, e que eles fujam (Is. 17:13).

Repreenda o devorador por minha causa (Ml. 3:11).

Repreenda o cavalo e a carruagem, e que eles caiam em sono profundo (Sl. 76:6).

Repreendo todo espírito impuro que
tenta agir em minha vida (Lc. 9:42).

Repreendo os espíritos orgulhosos
que são amaldiçoados (Sl. 119:21).

Lanço repreensões furiosas
sobre o inimigo (Ez. 25:17).

Que o forte vento de Tuas narinas
repreenda o Inimigo (2 Sm. 22:16).

Repreenda o inimigo com chamas de fogo (Is. 66:15).

Faça fugirem mil homens com minha
repreensão, Ó Senhor (Is. 30:17).

Repreenda cada mar que tente fechar-se
sobre minha vida (Sl. 106:9).

Demônio, eu te repreendo. Cala-te e saia (Mc. 1:25).

ORDENANDO ÀS MONTANHAS

Ordeno que toda montanha de minha vida
seja removida e lançada no mar (Mc. 11:23).

Ordeno que cada montanha relacionada às finanças seja removida de minha vida, em nome de Jesus.

Que cada montanha ouça a voz do Senhor e seja removida (Mq. 6:2).

Ordeno e profetizo que as montanhas ouçam a Palavra de Deus e sejam removidas (Ez. 36:4).

Que as montanhas tremam na presença de Deus (Hc. 3:10).

Contendo com cada montanha e ordeno que elas escutem minha voz (Mq. 6:1).

Faz dos montes de Esaú (a carne) uma desolação (Ml. 1:3).

Estende Tua mão, Ó Senhor, e revolve as montanhas pela raiz (Jó 28:9).

Ordeno que toda montanha de dívida seja removida e lançada no mar.

Senhor, Tu és contra toda montanha destrutiva (Jr. 51:25).

Que toda montanha se derreta em Tua presença, Ó Deus (Jz. 5:5).

Deteriora as montanhas do mal em minha vida, Ó Senhor (Is. 42:15).

Trilharei cada montanha, moerei em pequenos pedaços e farei das colinas praganas (Is. 41:15).

Toda montanha em meu caminho se tornará plana (Zc. 4:7).

ENVIANDO DESTRUIDORES

O conselho do ímpio será destruído (Jó 12:17).

Derruba os príncipes das trevas (Jó 12:19; NTLH).

Leva todas as coisas dos soldados valentes (Sl. 76:5; NTLH).

Amarro o Inimigo, tiro sua armadura e reparto tudo o que foi tomado (Lc. 11:22; NTLH).

Enviarei destruidores contra Babilônia (Jr. 51:53).

Senhor, Tu despojaste principados e potestades (Cl. 2:15).

Despojo os inimigos e tomo de volta aquilo por direito, em nome de Jesus (Êx. 12:36).

Despojo os arraiais dos inimigos,
em nome de Jesus (1 Sm. 17:53).

Tomarei tudo aquilo que me tomaram (Ez. 39:10).

O Inimigo não irá me despojar,
mas será despojado (Is. 33:1).

Que os palácios e os quartéis das trevas sejam despojados, em nome de Jesus (Zc. 11:3).

Lanço o gafanhoto para despojar as obras das trevas, em nome de Jesus (Na. 3:16).

Que a fortaleza das trevas seja despojada, em nome de Jesus (Os. 10:14).

SEÇÃO 3

CONFRONTANDO AS TÁTICAS DO INIMIGO

NÓS NÃO PODEMOS IGNORAR AS TÁTICAS DO DEMÔNIO. PODEMOS vencer todos os esquemas do demônio. Ele planeja suas armadilhas. Um *esquema* é um plano, um projeto ou um programa de ação. A Bíblia fala sobre as ciladas do demônio (Ef. 6:11). Uma *cilada* é um truque ou uma emboscada. Uma *emboscada* é uma armadilha.

A guerra envolve táticas e estratégias. Os grandes generais são grandes estrategistas e táticos. Você não consegue vencer sem uma estratégia. Não permita que o inimigo monte uma estratégia contra você. Vença e destrua estas estratégias por meio da oração.

Emboscadas e armadilhas estão escondidas. As pessoas caem em emboscadas sem saber. Estamos livres das armadilhas dos predadores. *Predador* é um caçador. Satanás é o caçador de almas. Por meio da oração, podemos libertar tanto a nós quanto aos nossos semelhantes.

A principal tática do inimigo é a mentira. Ele é um mentiroso, o pai da mentira. A Palavra de Deus revela suas táticas. Deus é a luz, e Sua Palavra é luz. A luz desmascara esse mentiroso e põe fim às trevas.

Multidões são enganadas por ele. Há tropas de espíritos mentirosos e enganadores que operam sob a autoridade de Satanás. Esses espíritos incluem a desilusão, a decepção, a mentira, a sedução, a cegueira, o erro e a trapaça. Nossa oração pode tirar o poder desses espíritos enganadores e fazer os olhos das pessoas se abrirem.

Davi orou contra as conspirações inimigas do ímpio. O livro dos Salmos é repleto de referências aos planos dos inimigos para derrubá-lo. As orações foram a chave para destruir esses planos e trazer livramento. Davi orou para que seus inimigos fossem dissipados, confundidos, desmascarados e destruídos.

Os esforços de Davi foram com inimigos naturais. Por trás desses inimigos naturais estavam espíritos que se opunham ao seu reino. Jesus deveria vir e ocupar o trono. Davi estava lutando contra algo sobrenatural. Por meio do Espírito Santo ele brigou com os poderes das trevas, que eram contra a vinda do reino de Deus.

Esses poderes foram também manifestados em Herodes, que tentou matar o Messias. Herodes estava sendo manipulado pelos espíritos do medo e do assassinato. Ele foi usado por Satanás para acabar com a chegada do Reino. Porém, o Espírito Santo foi enviado por meio das orações de Davi e o trono foi protegido.

Muitas dessas orações em forma de batalha espiritual são encontradas nos Salmos de Davi. Jesus é o Filho de Davi. Ele está no trono de Davi. As orações proféticas desse homem segundo o coração de Deus foram armas contra as tentativas de parar a semente da promessa. Sua vitória em oração abriu caminho para a continuação de seu trono. O trono da impiedade não conseguiu vencer o trono da justiça.

Deus ensinou a Davi. Ele se tornou o rei guerreiro. Suas vitórias estabeleceram seu reino. Sua vitória sobre a casa de Saul foi conquistada depois de uma longa guerra (2 Sm. 3:1). Não desanime na oração. Continue a orar. Você se tornará mais forte, e o inimigo, mais fraco.

Davi consumiu seus inimigos (Sl. 18:37-40). Ele não retornou enquanto eles não foram destruídos. Devemos ver nossos inimigos espirituais completamente destruídos. Devemos persegui-los. *Perseguir* significa correr atrás ou capturar. Quer dizer caçar com intenção hostil. Não podemos ser passivos quando estamos em uma guerra.

A vitória de Davi preparou o caminho para Salomão. Salomão regozijou na paz e na prosperidade. Seu nome significa "paz". *Paz* vem da palavra hebraica *shalom*. *Shalom* significa "paz, prosperidade, benevolência, saúde e bem-estar". Nossas vitórias sobre o Inimigo nos trará *shalom*. Experimentaremos grandes doses de paz e prosperidade.

Apagando o Fogo do Inimigo

Apago, com o escudo da fé, todos os
dardos inflamados que o Inimigo
manda em meu caminho (Ef. 6:16).

Apago cada dardo inflamado do ciúme,
da inveja, da amargura e da raiva enviados
contra minha vida, em nome de Jesus.

Apago cada tição mandado contra minha vida pelo Inimigo, em nome de Jesus (Is. 7:4).

Amarro e repreendo todos os espíritos de ciúme direcionados contra minha vida, em nome de Jesus.

Apago cada fogo que o Inimigo arremessar em meu santuário, em nome de Jesus (Sl. 74:7).

Amarro e expulso toda serpente ardente enviada contra minha vida em nome de Jesus (Is. 30:6).

Apago toda tocha que sair da boca do Leviatã (Jó 41:19).

Não serei queimado pelo fogo do inimigo (Is. 43:2).

Venço cada prova de fogo enviada contra minha vida pelo inimigo (1 Pe. 1:7).

O inimigo não será capaz de queimar minha colheita (2 Sm. 14:30).

Apago cada fogo de impiedade enviado contra minha vida, em nome de Jesus (Is. 9:18).

Apago todas as palavras ímpias faladas contra minha vida, em nome de Jesus (Pv. 16:27).

Apago toda tocha que o inimigo usar contra minha vida (Zc. 12:6).

Apago toda intriga contra mim e contra minha vida, em nome de Jesus (Pv. 26:20).

A chama do inimigo não se acenderá em mim (Is. 43:2).

Quebrando Maldições e Lançando as Bênçãos de Deus

Sou remido da maldição pelo sangue de Jesus (Gl. 3:13).

Sou a semente de Abraão, e a benção dele é minha (Gl. 3:14).

Escolhi a bênção ao invés da maldição, e vida ao invés da morte (Dt. 11:26).

Quebro e me liberto de todas as maldições e iniquidades como fruto dos pecados hereditários, em nome de Jesus.

Quebro e me liberto de todas as maldições de ambos lados de minha família há seis gerações.

Quebro todas as maldições de bruxaria, feitiçaria e adivinhação, em nome de Jesus.

Quebro e me liberto de todas as maldições do orgulho e de rebelião, em nome de Jesus.

Quebro e me liberto de todas as maldições de morte e destruição, em nome de Jesus.

Quebro e me liberto de todas as maldições de miséria, carência e dívida, em nome de Jesus.

Quebro e me liberto de todas as maldições de rejeição, em nome de Jesus.

Quebro e me liberto de todas as maldições de esquizofrenia, em nome de Jesus.

Quebro e me liberto de todas as maldições de Jezabel e Acabe, em nome de Jesus.

Quebro e me liberto de todas as maldições do divórcio e da separação, em nome de Jesus.

Quebro e me liberto de todas as maldições de luxúria e perversão, em nome de Jesus.

Quebro e me liberto de todas as maldições de confusão e doença mental, em nome de Jesus.

Quebro e me liberto de todas as maldições de idolatria, em nome de Jesus.

Quebro e me liberto de todas as maldições que causam acidentes e morte prematura, em nome de Jesus.

Quebro e me liberto de todas as maldições de uma vida sem rumo e errante, em nome de Jesus.

Quebro e me liberto de todas as maldições faladas e palavras negativas ditas contra mim por outros por autoridade, e eu os abençoo.

Quebro e me liberto de todas as maldições colocadas em mim por mim mesmo, por eu ter falado palavras negativas, em nome de Jesus.

Ordeno que saia todo demônio escondido que esteja por trás de alguma maldição, em nome de Jesus.

Vencendo as Alianças Demoníacas e Satânicas

Confundo toda conspiração satânica e demoníaca contra minha vida.

Reduza o conselho secreto do ímpio à tolice.

Dissipa os que estão reunidos contra mim.

Envia Teu relâmpago, Ó Senhor, e dissipa os inimigos.

Destrua, Ó Senhor, e divide a língua deles (Sl. 55:9).

Nenhuma arma levantada contra mim prosperará. Os portões e os planos do inferno não prevalecerão.

Passo por cima de toda estratégia do inferno contra minha vida.

Que cada estratégia do inferno seja revelada e levada à luz.

Recebo os planos de Deus em minha vida, pensamentos de paz e não de mal, para me trazer o fim desejado.

Estou livre de toda emboscada satânica e trama contra minha vida.

Lanço um redemoinho para dissipar os que conspiram contra mim.

Que aqueles que tramam meu mal sejam expulsos e confundidos.

Que caiam nas redes que eles mesmos esconderam, e que caiam em destruição.

Amarro e repreendo todo espírito de Sambalate e Tobias, em nome de Jesus (Ne. 6:1-6).

Esconde-me do conselho secreto do ímpio (Sl. 64:2).

VENCENDO E ROMPENDO AS ALIANÇAS DEMONÍACAS

Rompo toda aliança demoníaca contra minha vida, em nome de Jesus.

Confundo toda aliança demoníaca direcionada à minha vida, família e igreja, em nome de Jesus.

Rompe e dissipa os que estão unidos contra mim.

Amarro e repreendo todos os reforços demoníacos enviados por Satanás para atacar minha vida.

Que os espíritos dessa aliança sejam como Orebe, Zeebe, Zebá e Zalmuna (Sl. 83:5-11).

Ó meu Deus, faz-me como tufão, como aresta diante do vento (Sl. 83:13).

Persegue-os com Tua tempestade e assusta-os com Tua tormenta (Sl.83:15).

Que fiquem confusos e perturbados para sempre. Que se envergonhem e pereçam (Sl.83:17).

Que fiquem confusos, atacando um ao outro, em nome de Jesus (2 Cr. 20:23).

Orações para os Altares

Senhor, Tu criaste os altares para Tua glória. Não deixe o inimigo controlá-los.

Amarro o príncipe das potestades do ar (Ef. 2:2).

Amarro os poderes das trevas que lançam sujeira, violência e bruxaria pelos meios de comunicação, em nome de Jesus.

Tenho autoridade sobre os reis da Média e da Pérsia, em nome de Jesus (Dn. 8:20).

Amarro espíritos perversos nos altares (Ef. 6:12).

Senhor, destruo os ídolos nos altares (Lv. 26:30).

Arranco os altares do Inimigo (Nm. 33:52).

Sou um rei e derrubo os altares,
em nome de Jesus (2 Rs. 18:4).

Removo Neustã (Deus transformou a serpente em
um ídolo de metal) dos altares (2 Rs. 18:4).

Remove os espíritos religiosos dos altares (2 Rs. 23:8).

Remove o altar de Tofete (Jr. 7:31).

Que Teu fogo sagrado queime os altares.

Destrua os altares de bruxaria e feitiçaria,
em nome de Jesus (2 Cr. 28:4).

Destrua toda falsa adoração nos altares (2 Cr. 28:25).

Que os altares sejam purgados
com Tua unção (2 Cr. 34:3).

Retira todo falso ministério dos altares (1 Rs. 12:31).

Retira todos os deuses estranhos dos altares (2 Cr. 14:3).

Retira todo altar satânico erguido
nos altares (2 Cr. 14:3).

Remove todos os altares estabelecidos por líderes
ímpios, em nome de Jesus (2 Rs. 23:19).

Derruba todos os altares de Baal (Jr. 19:5).

Profetizo aos montes e digo para
afastarem os inimigos (Ez. 36:1-3).

Que o homem justo com Tua sabedoria se assente nas
alturas do governo de minha cidade e nação. (Pv. 9:3).

Andarei sobre as alturas (Hc. 3:19).

Retira todo altar de impiedade que ainda
não tenha sido removido (1 Rs. 15:14).

Que eu ande pelas alturas da Terra, coma
os frutos do campo, sugue o mel da rocha
e o azeite da pederneira (Dt. 32:13).

Remove todos os altares construídos
pelos meus ancestrais (2 Rs. 18:4).

Não reconstruas os altares destruídos
por nossos pais (2 Cr. 33:3).

Desola os altares (Ez. 6:6).

Piso nos altares dos ímpios (Dt. 33:29).

Quebro o poder de qualquer sacrifício
feito em altares (1 Rs. 3:2).

Farei o mesmo que Josias fez
com os altares (2 Cr. 34:3).

Senhor, abre rios em lugares altos (Is. 41:18).

Orações para Abrir Portas

Com Jesus possuirei a
porta do inimigo (Gn. 22:17).

Estabelece as portas do louvor
em minha vida (Is. 60:18).

Usarei o aríete para derrubar as
portas do inferno (Ez. 21:22).

As portas do inferno não prevalecerão
contra mim (Mt. 16:18).

Abre as portas de minha vida e de minha
cidade para o Rei da glória (Sl. 24:7).

Abre para mim as portas da justiça, para
que eu possa entrar (Sl. 118:19).

Reforça as barras de minhas portas (Sl. 147:13).

Quebra as portas de bronze e despedaça
os ferrolhos de ferro (Is. 45:2).

Abre diante de mim portas, para que eu vá e receba
o tesouro das trevas e as riquezas escondidas
nos lugares secretos (Is. 45:1-3).

Repreendo todo inimigo nas portas (Sl. 127:5).

Que as portas da minha vida e da minha cidade
sejam restauradas pelo Espírito Santo.

Restaura as portas do vale (Ne. 2:13).

Restaura a porta do tanque (que representa a
corrente de Espírito Santo) (Ne. 2:14).

Restaura a porta da ovelha
(que representa o apostolado) (Ne. 3:1).

Restaura a porta do peixe
(que representa o evangelismo) (Ne. 3:3).

Restaura a porta velha (que representa
os movimentos passados) (Ne. 3:6).

Restaura a porta do monturo
(que representa livramento) (Ne. 3:14).

Restaura a porta da água (que representa a pregação e os ensinamentos) (Ne. 3:26).

Restaura a porta oriental (que representa a glória) (Ne. 3:29; Ez. 43:1-2).

Que as águas fluam através da grande porta de minha vida, passem por meus tornozelos, quadris e pescoço (Ez. 47:1-5).

Faz minhas portas de carbúnculo (Is. 54:12).

Minhas portas se abrirão continuamente para receber bênçãos (Is. 60:11).

Ordeno que as portas do norte, do sul, do leste e do oeste de minha cidade se abram para o Rei da glória.

Repreendo todos os inimigos que ficarem nas portas e tentarem impedir a salvação de quem entra.

Oro para que os guardiões de minha cidade se levantem e tomem o que lhes pertence por direito (Lm. 5:14).

Fecha as portas de minha vida e de minha cidade para as impurezas, bruxarias, drogas, perversões e impiedades, em nome de Jesus.

Oro para que os portões das cidades de minha nação se tornem portões de justiça, e não de iniquidade.

Senhor, levanta igrejas que sejam portões do céu (Gn. 28:17).

Senhor, edifica igrejas com portões apostólicos e que delas saiam providência e revelação para minha região.

Orações Contra os Ídolos

Destrua os ídolos de minha nação e queime-os com fogo (1 Rs. 15:13).

Senhor, derrube os ídolos de nossa terra (2 Cr. 34:7).

Expulse de nossa terra os adivinhadores, os feiticeiros e os ídolos (2 Rs. 23:24).

Confunda os ídolos e quebre as imagens em pedaços (Jr. 50:2).

Que o homem jogue longe os ídolos e se volte para Ti, Ó Senhor (Is. 31:7).

Renuncio toda idolatria em minha linhagem e quebro todas as maldições de idolatria, em nome de Jesus (2 Rs. 21:21).

Senhor, leva os nomes dos ídolos
para fora desta terra (Zc. 13:2).

Guardarei-me dos ídolos
(1 Jo. 5:21; NTLH).

Elimina os ídolos não só de nossa
nação como das demais (Is. 2:18).

Senhor, expõe todos os ídolos
à falsa vaidade (Zc. 10:2).

Renuncio toda cobiça; não
servirei ao Mamom (Cl. 3:5).

Que Babilônia, a mãe das prostituições e abominações
da Terra, caia, em nome de Jesus (Ap. 17:5).

Senhor, retira a poluição dos
ídolos da minha terra (At. 15:20).

Aspirja água pura em mim, me purifique
de toda imundície e me purifique
de todos os ídolos (Ez. 36:25).

Não permitas que eu vá para longe
atrás de ídolos (Ez. 44:10).

Remova todo falso ídolo (incluindo humanos)
de minha vida, em nome de Jesus.

Não colocarei outros deuses
diante de Ti, Senhor (Êx. 20:3).

Orações que Destroem a Opressão

Repreendo e expulso qualquer espírito
que tente me oprimir, em nome de Jesus.

Jesus, Tu vieste para fazer o bem e curar todos aqueles
que estão oprimidos pelo demônio (At. 10:38).

Tiro todo poder dos espíritos que
queiram me oprimir (Ec. 4:1).

Repreendo e expulso todo espírito de
miséria que queira me oprimir (Ec. 5:8).

Repreendo todo espírito de loucura e confusão que tente
oprimir minha mente, em nome de Jesus (Ec. 7:7).

Ó Senhor, vem em meu auxílio na luta
contra meus opressores (Is. 38:14).

Senhor, Tu és meu refúgio contra o opressor (Sl. 17:9).

Livra-me do ímpio que queira me oprimir e dos inimigos mortais que estão à minha volta (Sl. 17:9).

Livra-me dos opressores que buscam minha alma (Sl. 54:3).

Destrua por completo o opressor (72:4).

Repreendo e expulso todo espírito de aflição, mágoa e qualquer um que queira me trazer para baixo, em nome de Jesus (Sl. 107:39).

Que eu não fique com meus opressores (Sl. 119:121).

Livra-me da opressão dos homens (Sl. 119:134).

Tenho poder sobre meu opressor (Sl. 14:2).

Que os opressores sejam destruídos longe de nossa terra (Is. 16:4).

Repreendo a voz do opressor, em nome de Jesus (Sl. 55:3).

Estou firmado na justiça e longe da opressão (Is. 54:14).

Puna aqueles que tentarem me oprimir (Jr. 30:20).

O Inimigo não terá minha herança
de forma alguma (Ez. 46:18).

Julga os meus opressores (Sl. 146:7).

Quebrando o Poder da Esquizofrenia e da Dúvida

(Baseado na revelação de esquizofrenia de Ida Mae Hammond)

Amarro e repreendo todo espírito que tente distorcer, causar distúrbio ou desintegrar o desenvolvimento de minha personalidade, em nome de Jesus.

Quebro toda maldição de esquizofrenia e de dúvida, em nome de Jesus.

Amarro e repreendo o espírito duvidoso, em nome de Jesus (Tg. 1:8).

Amarro e tenho autoridade sobre os homens fortes da rejeição e da rebelião, e os separo, em nome de Jesus.

Amarro e expulso os espíritos de rejeição, medo da rejeição ou autopiedade, em nome de Jesus.

Amarro e expulso todo espírito de luxúria, fantasia, adultério e perversão, em nome de Jesus.

Amarro e expulso espíritos de insegurança
e inferioridade, em nome de Jesus.

Amarro e expulso espíritos de autoacusação
e confissão compulsiva, em nome de Jesus.

Amarro e expulso todo espírito de medo do
julgamento, autopiedade, falsa compaixão e
falsa responsabilidade, em nome de Jesus.

Amarro e expulso todo espírito de depressão,
desânimo, desespero, desencorajamento e
falta de esperança, em nome de Jesus.

Amarro e expulso espíritos de culpa, condenação,
indignidade e vergonha, em nome de Jesus.

Amarro e expulso todo espírito de perfeição,
orgulho, vaidade, ego, intolerância, frustração
e impaciência, em nome de Jesus.

Amarro e expulso todo espírito de injustiça,
afastamento, raiva, irrealidade, fantasia, do delírio
e da imaginação fértil, em nome de Jesus.

Amarro e expulso todo espírito de egocentrismo,
timidez, solidão e sensibilidade, em nome de Jesus.

Amarro e expulso todo espírito de ansiedade, nervosismo, tensão e medo, em nome de Jesus.

Amarro e expulso espíritos de vontade própria, egoísmo e teimosia, em nome de Jesus.

Amarro e expulso o espírito de acusação, em nome de Jesus.

Amarro e expulso todo espírito de desilusão, decepção e sedução, em nome de Jesus.

Amarro e expulso todo espírito de julgamento e orgulho, em nome de Jesus.

Amarro e expulso todo espírito de controle e possessão, em nome de Jesus.

Amarro e expulso espíritos de ódio, ressentimento, violência, assassinato, falta de perdão, ira e retaliação, em nome de Jesus.

Amarro e expulso espíritos de paranoia, desconfiança, perseguição, confrontamento e medo, em nome de Jesus.

Orações e Decretos que Quebram o Poder das Trevas

Afasta os Assírios de minha terra (Is. 14:25).

Quebra em pedaços os portões de bronze e despedaça as trancas de ferro (Is. 45:2; NVI).

Quebro cada jugo de meu pescoço e arrebento os grilhões, em nome de Jesus (Jr. 30:8).

Quebra-os com uma vara de ferro e despedaça-os como o vaso de um oleiro (Sl. 2:9).

Quebra o braço do ímpio (Sl. 10:15).

Quebra os dentes deles, Ó Senhor. Quebra os dentes dos filhos dos leões (Sl. 58:6).

Despedaça o opressor (Sl. 72:4).

Quebra os braços do ímpio (Sl. 37:17).

Quebra os chifres do ímpio (Dn. 8:8).

Quebra o reino das trevas (Dn. 11:4).

Quebra as fundações do ímpio (Ez. 30:4).

Quebra os reinos da Babilônia (Jr. 51:58).

Quebra os arcos do ímpio (Sl. 37:14).

Despedaço o cavalo e o cavaleiro (Jr. 51:21).

Despedaço o carro e o cavaleiro (Jr. 51:21).

Despedaço os capitães e os magistrados (Jr. 51:23).

Que Tua Palavra em minha boca seja como martelo que despedaça as rochas (Jr. 23:29).

Derruba cada muro levantado pelo Inimigo contra minha vida, em nome de Jesus (Ez. 13:14).

Derrubo todo altar levantado pelo Inimigo contra minha vida, em nome de Jesus (Os. 10:2).

Quebra com Teu poder os ídolos e imagens de nossa terra, Ó Senhor (Dt. 7:5).

Quebro e anulo toda aliança demoníaca feita por meus ancestrais, em nome de Jesus (Is. 28:18).

Orações Contra o Espírito de Destruição

Amarro e expulso o espírito de Apoliom (Abadom) em nome de Jesus (Ap. 9:11).

Sou remido da destruição (Sl. 103:4).

Quebro toda maldição de destruição em minha família e em minha linhagem, em nome de Jesus.

Renuncio todo orgulho que possa abrir a porta da destruição (Pv. 16:18).

Resgata minha alma da destruição (Sl. 35:17).

Envia Tua Palavra e livra-me de qualquer destruição (Sl. 107:20).

O destruidor não pode entrar em minha vida ou em minha família, em nome de Jesus (Êx. 12:23).

O destruidor não pode acabar com minha prosperidade (Jó 15:21).

Sou livre da destruição que assola ao meio-dia (Sl. 91:6).

Não há destruição ou assolamento dentro de minhas fronteiras (Is. 60:18).

Passarei pela porta estreita e não caminharei nos caminhos que levam à destruição (Mt. 7:13).

Amarro o espírito de Mamom, que leva à destruição (1 Tm. 6:9-10).

Guardarei minha boca e evitarei destruição (Pv. 18:7).

Amarro e repreendo o espírito da miséria, que leva à destruição (Pv. 10:15).

Repreendo toda destruição de minhas portas, em nome de Jesus (Is. 24:12).

Retirando as Brechas e Erguendo os Muros

Retiro qualquer brecha de minha vida que possa dar acesso a Satanás e aos demônios, em nome de Jesus (Ec. 10:8).

Oro para que cada muro derrubado em minha vida seja restaurado, em nome de Jesus (Ec. 10:8).

Tomarei uma posição e restaurarei o muro (Ez. 22:30).

Arrependo-me e sou perdoado por qualquer pecado que tenha aberto a porta para qualquer espírito entrar e operar em minha vida (Ef. 4:27).

Sou reconstrutor do muro e reparador da ruptura (Is. 58:12).

Renuncio qualquer falar enganoso que tenha causado ruptura em minha vida, em nome de Jesus (Pv. 15:4).

Põe fim a todas as minhas feridas, Ó Senhor (Is. 30:26).

Fecha qualquer brecha, em nome de Jesus (Ne. 4:7).

Que meus muros sejam salvação, e minhas portas, louvor (Is. 60:18).

Oro para que se erga um muro de proteção em volta de minha mente, meu corpo, minhas finanças, meus bens e minha família, em nome de Jesus.

Destruindo as Caldeiras do Mal (Caldeirão)

Repreendo e destruo toda caldeira ímpia, em nome de Jesus (Ez. 11:11-12).

Repreendo e destruo toda caldeira ou panela ferventes feitas pelo inimigo contra minha vida, cidade ou nação (Jó 41:20).

Quebra cada caldeira maligna em minha cidade, em nome de Jesus.

Quebro o caldeirão das bruxas e feiticeiros, em nome de Jesus.

Senhor, visite cada bruxo e bruxa em minha região, e os condene.

Que se arrependam, se voltem para Ti e sejam salvos.

Estou livre da panela borbulhante, em nome de Jesus (Ez. 24:1-5).

Senhor, tira-me do meio de todo caldeirão (Ez. 11:7).

O Inimigo não comerá minha carne, quebrará meus ossos e me colocará em seu caldeirão (Mq. 3:3).

Senhor, livra-me e protege-me de toda panela do mal, em nome de Jesus (Jr. 1:13-14).

Senhor, livra-me da panela borbulhante do orgulho (Jó 41:31).

Destruindo Jugos e Removendo Cargas

Removo todas as cargas postas em mim pelas pessoas, líderes ou igrejas, em nome de Jesus (1 Ts. 2:6).

Removo todas as cargas pesadas postas em minha vida pelo inimigo, em nome de Jesus.

Que a Tua unção quebre o jugo do inimigo sobre meu pescoço e destrua todo jugo (Is. 10:27).

Remove de meus ombros qualquer carga (Sl. 81:6).

Coloco meus cuidados no Senhor (1 Pe. 5:7).

Coloco minhas cargas no Senhor, e Ele me sustenta (Sl. 55:22).

Senhor, quebra o jugo da carga do inimigo e a vara do opressor como nos dias midianitas (Is. 9:4).

Destrua todo jugo de miséria em minha vida, em nome de Jesus.

Destrua todo jugo de doença, em nome de Jesus.

Destrua todo jugo de escravidão,
em nome de Jesus (Gl. 5:1).

Destrua todo jugo desigual,
em nome de Jesus (2 Co. 6:14).

Destruo todo jugo e carga de religião e legalismo em minha vida pelos líderes religiosos, em nome de Jesus (Mt. 23:4).

Lança toda pedra pesada de minha vida,
em nome de Jesus (Zc. 12:3).

Pego para minha vida o jugo e
a carga de Jesus (Mt. 11:30).

Seção 4

Destruindo as Forças do Inimigo

Jesus veio para destruir as obras do demônio (1 Jo. 3:8). Elas são realizadas por intermédio da própria força demoníaca. O reino de Satanás consiste em principados, potestades, magistrados das trevas e altares espirituais ímpios. Há diferentes tipos de demônios e diferentes níveis de impiedade. Nós podemos destruir o ímpio manhã após manhã (Sl. 101:8). Podemos destruir aqueles que nos odeiam (Sl. 18:40).

Satanás fica desamparado quando suas forças são destruídas. Temos autoridade para amarrá-lo e tirar suas armaduras. Israel foi a Canaã para destruir diferentes nações, que são retratos das terras em que havia reinos. Cada reino representava um tipo diferente de fortaleza que Deus queria que Seu povo destruísse.

Demônios também são representados por diferentes criaturas. A diversidade do reino animal é um retrato da diversidade do reino das trevas. A Bíblia fala sobre serpentes, escorpiões, leões, chacais, touros, raposas, corujas, serpentes do mar, gafanhotos e cachorros. Eles representam diferentes tipos de espíritos maus que trabalham para destruir a humanidade. Eles são invisíveis ao olho natural; contudo, são tão reais quanto as criaturas naturalmente visíveis.

Precisamos sempre lembrar que há mais conosco do que contra nós. As forças da luz são muito superiores às das trevas. Jesus é o Senhor dos exércitos. Os exércitos dos céus estão lutando com os exércitos da Terra. Enviar os exércitos angelicais do céu é uma estratégia importante na guerra.

Podemos destruir e derrotar as forças das trevas nos céus, na terra, no mar e embaixo da terra. Estas forças podem operar por meio das pessoas, dos governantes, dos sistemas econômicos, educacionais e das diferentes estruturas postas pelo homem. Essas forças podem operar de diferentes locais e territórios.

Os ídolos que o homem adora são feitos a partir da imagem do homem, de animais quadrúpedes, dos pássaros e dos répteis. Por trás desses ídolos estão demônios. Estes são espíritos do mal que se manifestam por meio dos ídolos. Esses deuses (ídolos) são do sexo feminino e masculino. A nação adora deuses e deusas. Jezabel é um exemplo de principado feminino.

A Bíblia usa palavras fortes relacionadas à guerra, incluindo:

- *Abolir* – dar fim, cortar, anular (Is. 2:18; 1 Tm. 1:10);
- *Derrotar* – bater, machucar, atacar violentamente, esmagar, destruir, desconfortar, reduzir com violência, desanimar, aterrorizar (Jz. 9:45; 2 Rs. 13:25; Sl. 18:42; Is. 27:12; Jr. 46:5);

- *Quebrar* – largar, fazer em pedaços, destruir, arrancar, puxar, arruinar, derrotar, dispersar (Êx. 34:13; Lv. 26:19; Sl. 2:9; 10:15; 58:6; 72:4; Ec. 3:3; Is. 45:2; Jr. 28:4; Dn. 2:40);
- *Derrubar* – levar abaixo, quebrar, destruir, lançar no inferno (Jz. 6:28, 30; Sl. 17:13; 89:44; 102:10; 147:6; Is. 28:2; Jr. 8:12; Dn. 7:9; 8:10; 2 Co. 4:9; 10:5; 2 Pe. 2:4);
- *Expulsar* – ocupar após a expulsão dos moradores anteriores e, então, possuir aquele lugar, agarrar, roubar, herdar, expelir, mandar embora, afastar, banir, ejetar, mandar para longe (Êx. 34:24; Lv. 18:24; Dt. 6:19; 1 Rs. 14:24; 2 Rs. 16:3; Jó 20:15; Sl. 5:10; Mt. 12:28; Mc. 6:13; Lc. 9:40; Jo. 12:31; Ap. 12:9);
- *Perseguir* (*buscar*) – correr atrás com intenção hostil, seguir, importunar (Lv. 26:7; Dt. 32:30; Sl. 18:37; 35:3; Is. 17:13);
- *Confundir* (*intimidar*) – envergonhar, desapontar, levar à confusão, pôr vergonha (Sl. 35:4, 26; 40:14; 70:2, 13, 24; 83:17; 97:7; 109:29; 129:5; Jr. 17:18; 50:2);
- *Consumir* – dar fim, destruir, devorar, queimar (Dt. 7:16, 22; Sl. 37:20; 71:13; 104:35; 2 Ts. 2:8; Hb. 12:29);
- *Contender* – ranger, irar, intervir, rivalizar, agitar, lidar com, defender, esbravejar, iniciar uma controvérsia (Dt. 2:24; Is. 41:12; 49:25; Jr. 12:5; Jd 1:9);

- *Destruir* – dar fim, cessar, destruir completamente, limpar, eliminar, tornar maldito, desmantelar, derrotar, devorar, consumir (Lv. 26:30, 44; 20:17; 31:3; Sl. 5:6, 10; 18:40; 21:10; 28:5; 52:5; 55:9; 74:8; 101:8; 144:6; Pv. 15:25; Is. 23:11; Jr. 1:10; Mt. 21:41; Mc: 1:24; 9:22; Jo. 10:10; 1 Jo. 3:8);
- *Lutar* – consumir, batalhar, guerrear, superar, prevalecer, esforçar, contender com o adversário (Êx. 14:14; 17:9; Dt. 1:30; Jo. 10:25; Jz. 1:1, 3, 9; Sl. 35:1; 144:1, Dn. 10:20; 1 Tm. 6:12; 2 Tm. 4:7; Hb. 10:32);
- *Prevalecer* – rodear, reter, calar, parar, ser forte, pôr força, predominar, conter, amarrar, conquistar (2 Cr. 14:11; Sl. 9:19; Is. 42:13; Mt. 16:18);
- *Ferir* – bater, machucar, expulsar, abater, lesionar, empurrar, infligir, colidir, espetar, levar a pior (Nm. 25:17; Dt. 13:15; Js. 7:3; Jz. 20:31; 1 Sm. 15:3; Is. 19:22; Jr. 43:11; At. 7:24; Ap. 11:6);
- *Combater* – lutar, ter garra (Gn. 30:8; 32:24; Ef. 6:12).

A Bíblia contém muitas palavras que falam de guerra. Ela está repleta de guerra. A história do homem tem sido determinada por guerras. João viu a guerra no céu entre Miguel e seus anjos contra Satanás e seus anjos (Ap. 12:7). A guerra requer inimigos. Lembre-se, Deus treina nossas mãos para guerrear e nossos dedos para lutar (Sl. 144:1).

ORAÇÕES CONTRA PRINCIPADOS DEMONÍACOS

Jesus, Tu expulsaste o príncipe deste mundo e o derrotaste (Jo. 12:31).

Jesus, Tu deterioraste principados e os expuseste publicamente (Cl. 2:15).

Amarro o príncipe das potestades do ar, em nome de Jesus (Ef. 2:2).

Amarro e repreendo Belzebu, o príncipe dos demônios (Mt. 12:24).

Amarro os principados e potestades de minha região, em nome de Jesus (Ef. 6:12).

Ordeno que os principados caiam, em nome de Jesus (Jr. 13:18).

Senhor, envia Teus anjos de guerra contra os príncipes demoníacos (Dn. 10:20).

Fere os príncipes (Js. 13:21).

Decreta o fim da iniquidade de todo príncipe profano e remova o turbante de sua cabeça (Ez. 21:25-26; NVI).

Despoja os príncipes e derruba os poderosos (Jó 12:19).

Faz os nobres como a Orebe e a Zeebe, e aos seus príncipes como a Zebá e Zalmuna (Sl. 83:11).

Lança o desprezo sobre os príncipes demoníacos (Sl. 107:40).

Ceifa o espírito dos príncipes (Sl. 76:12).

Repreendo e amarro todo príncipe que queira falar contra mim (Sl. 119:23).

Repreendo e amarro todo príncipe que queira me perseguir (Sl. 119:161).

Reduz os príncipes a nada (Is. 34:12).

Pune os príncipes com Teu poder (Sf. 1:8).

Orações Contra Leviatã e Espíritos do Mar

Ó Senhor, quebra as cabeças dos dragões das águas (Sl. 74:13).

Corta a cabeça de toda hidra, em nome de Jesus.

Esmaga a cabeça do Leviatã (Sl. 74:14).

Castiga Leviatã e a serpente veloz com
Tua espada gloriosa (Is. 27:1).

Mata o dragão que está no mar (Sl. 27:1).

Despedaço Leviatã e todo o orgulho
de minha vida, em nome de Jesus.

Rasga as escamas de Leviatã (Jó 41:15).

Destrua o pescoço de Leviatã (Sl. 18:40).

Quebra o coração de pedra de Leviatã
e o faça em pedaços (Jó 41:24).

Quebra os dentes de Leviatã e arranca dos
seus dentes as vítimas (Jó 29:17).

Ponho um gancho no nariz de Leviatã, uma
corda em volta de sua língua e cravo um
espinho em seu queixo (Jó 41:1-2).

Senhor, Tu mandas no mar e nas águas por Tua força.

Não deixe que os demônios da água
transbordem em minha vida.

As profundezas das águas são vistas
pela Tua repreensão (Sl. 18:15).

Repreende todo demônio do orgulho e da
arrogância que está amaldiçoado (Sl. 119:21).

Amarro todo monstro do mar que queira atacar minha
vida ou minha região, em nome de Jesus (Lm. 4:3).

Derruba os demônios altivos pelo Teu poder.

Lança ao chão os demônios orgulhosos
que levantam a voz contra Teu povo.

Dissipa o orgulho na imaginação do coração deles.

Deus, Tu resistes ao orgulho. Teu poder é
contra os que mais se rebelaram contra Ti.

Não permitas que o arrogante me pisoteie (Sl. 36:11).

Despedaça a coroa do orgulho (Is. 28:1).

Quebra Raabe em pedaços, como
se fosse ferida de morte.

Dissipa Teus inimigos com Teu braço forte (Sl. 89:10).

Não deixe Leviatã me oprimir (Sl. 119:122).

Ó Senhor, retribui a Leviatã aquilo que merece (Sl. 94:2).

Põe Leviatã sob guarda (Jó 7:12; NVI).

Não deixe as águas do orgulho virem à minha alma (Sl. 124:5).

Repreendo e destruo toda emboscada que o demônio enviou para mim (Sl. 140:5).

Que todos os espíritos orgulhosos tropecem e caiam (Jr. 50:32).

Quebra o orgulho do poder de Leviatã (Lv. 26:19).

Desperta, desperta. Veste-se de força, Ó braço de Deus. Ordeno aos ajudadores de Raabe a curvarem-se diante do Senhor (Is. 51:9).

Não deixe que o orgulho venha me pisotear (Sl. 36:11).

Tiro as escamas de Leviatã e levo sua armadura (Jó 41:15; Lc. 11:22).

Derrama o furor de Tua ira e humilhe o Leviatã (Jó 40:11).

Abate Leviatã com Teu entendimento (Jó 26:12).

Olha para Leviatã e o humilhe. Pisa nele quando estiver neste lugar (Jó 40:12).

Repreende os touros de Basã (Sl. 22:12).

Corrompe o poderoso; que os carvalhos de Basã gemam (Zc. 11:2).

Traz Teu povo de Basã; traz Teu povo das profundezas do mar (Sl. 68:22).

Fere Basã e o reino de Ogue (Sl. 135:10-11).

Amarro e expulso todo espírito controlador de mentes do polvo e da lula, em nome de Jesus.

Seque as águas profundas e destrua todo espírito de Leviatã (Jó 41:31; Is. 44:27).

Em nome de Jesus, eu seco seus rios, seus mares e suas nascentes (Is. 19:5).

Peço que seque as águas de Leviatã (Jr. 50:38; 51:36).

Orações Contra Jezabel

Solto os cães do céu contra Jezabel (1 Rs. 21:23).

Repreendo e amarro os espíritos de bruxaria, luxúria, sedução, intimidação, idolatria e prostituição ligados à Jezabel.

Lanço o espírito de Jeú contra Jezabel e sua corte (2 Rs. 9:30-33).

Ordeno que Jezabel seja derrubada e devorada pelos cães do céu.

Repreendo todo espírito de falso ensinamento, falsa profecia, idolatria e perversão ligados à Jezabel (Ap. 2:20).

Envio tribulação contra o reino de Jezabel (Ap. 2:22).

Interrompo a missão de Jezabel contra os ministros de Deus (1 Rs. 19:2).

Interrompo e quebro os poderes de toda palavra lançada por Jezabel contra minha vida.

Afasto-me da mesa de Jezabel e rejeito toda comida vinda dela (1 Rs. 18:19).

Distancio-me de todas maldições lançadas por Jezabel e seus espíritos sobre minha linhagem.

Ponho fim à missão de Jezabel e
suas filhas de corromper a igreja.

Repreendo e destruo o espírito de Atalia que
tenta destruir a descendência real (2 Rs. 11:1).

Ponho-me diante de Herodias e interrompo sua
missão de matar os profetas (Mc. 6:22-24).

Repreendo e destruo o espírito
da prostituição (Os. 4:12).

Repreendo e jogo por terra Jezabel e suas
bruxarias, em nome de Jesus (2 Rs. 9:22).

Repreendo as prostitutas e amantes da bruxaria
e quebro seus poderes em minha vida e
minha família (Na. 3:4).

Interrompo as feitiçarias de suas mãos (Mq. 5:12).

Venço Jezabel e recebo poder
sobre as nações (Ap. 2:26).

Lidando com Espíritos do Deserto

Repreendo cada deserto em minha vida e
em meu ministério, em nome de Jesus.

Amarro e expulso do deserto todo espírito
da coruja, da raposa, do dragão, da hiena
e do abutre, em nome de Jesus.

Amarro e expulso todo espírito de medo e pavor de
escorpiões, em nome de Jesus (Dt. 8:15).

Amarro e repreendo toda criatura noturna,
em nome de Jesus (Is. 34:14).

Amarro e expulso todo chacal,
em nome de Jesus (Ez. 13:15).

Não habitarei na imensidão, mas em
uma terra frutífera (Is. 35:1).

Meu deserto florescerá como uma rosa
e dará frutos abundantes (Is. 35:1).

Faz brotar água em lugares ermos do meu ser
e transbordar em todo meu deserto (Is. 35:6).

Que os rios corram em lugares
ermos do meu ser (Is. 43:20).

Repreendo as feras do deserto, toda
criatura oprimida, todo sátiro e todo dragão de
operar em minha vida (Is. 13:21-22).

Que a Tua voz sacuda toda imensidão de minha vida (Sl. 29:8).

Que gotas de fertilidade caiam sobre minhas imensidões (Sl. 65:11-12).

Que os espíritos de imensidão se inclinem e lambam o pó (Sl. 72:9).

Repreendo todo pelicano e coruja da imensidão (Sl. 102:6).

Converta a imensidão em lagoa e a terra seca em fonte (Sl. 107:35).

Abra os rios em lugares altos e as fontes no meio dos vales. Faça da minha imensidão um lugar com lagos, e de meus lugares ermos, nascentes de água (Is. 41:18).

Planta em minha imensidão o cedro, a acácia, a murta, a oliveira, a faia, o pinheiro e o álamo (Is. 41:19).

Renuncio toda rebelião que possa abrir minha vida aos espíritos do deserto (Sl. 68:6).

Quebro toda maldição de acreditar no homem, que pode abrir minha vida aos espíritos do deserto (Jr. 17:5-6).

Profetizo a todo osso seco em minha vida e ordeno que viva (Ez. 37:1-4).

Minha terra não deve terminar desolada, mas sou chamado de Hefizibá, e minha terra, de Beulá (Is. 62:4; NVI).

Faz toda minha imensidão como o Éden, e meus desertos como o jardim do Senhor (Sl. 51:3).

Arranca todo escombro de minha vida e de minha descendência, em nome de Jesus (Is. 61:4; NVI).

Aviva-me e reconstrói cada parte de minha vida (Ed. 9:9).

Orações Contra Cavaleiros Demoníacos

Atira o cavalo e o cavaleiro no mar (Êx. 15:1).

Quebra em pedaços o cavalo e seu cavaleiro. Quebra em pedaços o carro e seu cocheiro (Jr. 51:21).

Lanço a espada do Senhor sobre os cavalos e carros (Jr. 50:37).

Ponho fim aos cavalos e destruo os carros, em nome de Jesus (Mq. 5:10).

Derruba os carros e os que neles andam. Derruba os cavalos e seus cavaleiros (Ag. 2:22).

Derruba os cavaleiros dos cavalos (Zc. 10:5).

Que os calcanhares dos cavalos sejam mordidos, e que os cavaleiros caiam para trás (Gn. 49:17).

Que o carro, o cavalo, o exército e a força caiam juntos e não mais consigam se levantar (Is. 43:17).

Com Tua repreensão, faz o carro e o cavalo caírem em sono profundo, Ó Senhor (Sl. 76:6).

Espanta os cavalos como gafanhotos (Jó 39:19-20).

Queima os carros e os cavaleiros com Teu fogo (Na. 2:13).

Amendronta os cavalos e enlouquece os cavaleiros, Ó Senhor (Zc. 12:4).

Amarro e repreendo todo cavalo negro que venha contra mim, em nome de Jesus (Ap. 6:5).

Amarro e repreendo todo cavalo vermelho que venha contra mim, em nome de Jesus (Ap. 6:4).

Amarro e repreendo todo cavalo amarelo que venha contra mim, em nome de Jesus (Ap. 6:8).

Retira as forças do cavaleiro demoníaco, em nome de Jesus (Jó 39:19).

Impede os cavalos com Teu poder, Ó Senhor (2 Sm. 8:4).

Sou Teu cavalo majestoso no dia da batalha (Zc. 10:3).

Orações Contra os Espíritos do Vale

Amarro e expulso todo espírito que tente me rebaixar, em nome de Jesus.

Quebro os carros dos inimigos do vale, em nome de Jesus (Jz. 1:19).

Repreendo e expulso os corvos do vale, em nome de Jesus (Pv. 30:17).

Senhor, Tu és o Deus dos vales. Expulsa todo espírito do vale, em nome de Jesus (1 Rs. 20:28).

Exalta-me e fere os espíritos do vale com Teu poder (2 Sm. 8:13).

Amarro e repreendo todo Golias que queira me desafiar no vale (1 Sm. 17:1-4).

Destrua todo gigante do vale (Js. 15:8).

Luta contra os espíritos do vale e vinga dos meus inimigos (Js. 10:12-14).

Destrua no vale todo Acã em minha vida (Js. 7:24-26).

Liberto-me de todo espírito de Dalila que opera no vale (Jz. 16:4).

Abençoa todos os meus vales, em nome de Jesus (2 Cr. 20:26).

Abre uma porta de esperança em todos os meus vales (Os. 2:15).

Destruo todo espírito Edomita no vale, em nome de Jesus (2 Rs. 14:7).

Que a água flua em cada vale de minha vida (Jl. 3:18).

Exalta cada vale em minha vida (Lc. 3:5).

Firo Amaleque e o destruo no vale (1 Sm. 15:3-5).

Firo todos os midianitas no vale (Jz. 6:33-34).

Repreendendo as Aves Imundas

Amarro e repreendo toda ave impura e detestável enviada contra minha vida, em nome de Jesus (Ap. 18:2).

Tenho domínio sobre as aves impuras do ar, em nome de Jesus (Sl. 8:8).

Que toda ave imunda enviada contra mim caia em uma armadilha (Ec. 9:12).

Amarro e repreendo todo abutre espiritual, em nome de Jesus (Is. 34:15).

Amarro os animais noturnos (monstros da noite) que trabalham contra mim, em nome de Jesus (Is. 34:14).

Amarro e repreendo cormorão (pelicano) de operar contra minha vida, em nome de Jesus (Is. 34:11).

Amarro e repreendo o alcaravão de operar contra minha vida, em nome de Jesus (Is. 34:11).

Amarro e repreendo todo abutre enviado contra minha vida, em nome de Jesus (Is. 34:11).

Amarro e repreendo toda águia demoníaca e falcão enviados contra minha vida, e ordeno que seus ninhos sejam destruídos, em nome de Jesus (Jó 39:26-30).

Oro para que as aves impuras sejam engaioladas, em nome de Jesus (Jr. 5:27).

Amarro e repreendo qualquer pássaro impuro que tente se aninhar em minha vida, em nome de Jesus.

Expulsa todas as aves perdidas de seus ninhos, em nome de Jesus (Is. 16:2; NVI).

Que a Tua presença leve toda ave imunda para longe de minha vida (Jr. 4:25-26).

Destrua toda ave do céu que operar contra minha vida, em nome de Jesus (Sf. 1:3).

Que todos os pássaros fujam e voem para longe com Tua repreensão (Jr. 9:10).

Que eu ande no caminho da sabedoria, que nenhuma ave conhece (Jó 28:7, 21).

Não terei medo do terror da noite, e repreendo todo pássaro da noite que tente me visitar (Sl. 91:5).

Não sou companheiro das corujas (Jó 30:29).

Livramento dos Leões

Repreendo todo leão que se encurve e se prepare para me atacar, em nome de Jesus (Gn. 49:9).

Pela força de Deus, quebro as mandíbulas do leão e arranco os despojos de sua boca (Jz. 14:5).

Livra-me da garra do leão (1 Sm. 17:37).

Repreendo o leão feroz que quer me caçar (Jó 10:16).

Não deixes o leão dilacerar minha alma (Sl. 7:2).

Repreendo e desmascaro qualquer leão que espere secretamente para me atacar (Sl. 10:9).

Repreendo quaisquer leões escondidos à espreita em nome de Jesus (Sl. 17:12).

Piso no leão, em nome de Jesus (Sl. 91:3).

Caminho em santidade, e nenhum leão pode habitar em minha vida (Is. 35:9).

Livra-me dos homens que são como leões (1 Cr. 11:22).

A cria dos leões será dissipada (Jó 4:11).

Salva-me da boca do leão (Sl. 22:21).

Quebra os dentes dos leões (Sl. 58:6).

Livra minha alma dos leões (Sl. 57:4).

Livra-me do poder dos leões (Dn. 6:7).

Livra-me da boca do leão (2 Tm. 4:17).

Que o leão da tribo de Judá ruja por meio de mim para meus inimigos.

Livra-me do poder do leão.

Livramento das Serpentes

Senhor, esmaga a cabeça de toda serpente que possa atacar minha vida, em nome de Jesus.

Pune a serpente feroz, em nome de Jesus.

Amarro e repreendo qualquer serpente que tente me enganar (2 Co. 11:3).

Lanço a vara de Deus para engolir toda serpente que venha contra mim, em nome de Jesus (Êx. 7:12).

Protege-me das serpentes venenosas (Dt. 8:15; NVI).

Amarro e repreendo toda serpente que tente se enroscar e se enrolar em volta da minha vida, em nome de Jesus.

Amarro e repreendo toda jiboia que tente sufocar minha vida de oração, em nome de Jesus.

Amarro e repreendo toda cobra que venha contra mim, em nome de Jesus.

Amarro e repreendo toda víbora que tente vir contra mim, em nome de Jesus (Is. 14:29; NVI).

Amarro e repreendo toda serpente veloz que ataque minha vida, em nome de Jesus (Is. 27:1).

Amarro e repreendo toda serpente do mar que venha contra mim, em nome de Jesus (Is. 27:1).

Tenho autoridade para pisar nas serpentes (Lc. 10:19).

Sou servo de Deus e pego as serpentes (Mc. 16:18).

Que o fogo de Deus expulse toda serpente da minha vida (At. 28:3).

Expulso toda víbora que tente operar em minha vida, em nome de Jesus.

Livramento das Moscas

Amarro e repreendo Belzebu, o senhor das moscas, em nome de Jesus (Mt. 12:24).

Amarro e expulso toda mosca que tentar afetar minha unção, em nome de Jesus (Ec. 10:1).

Amarro e repreendo qualquer enxame de moscas que venha contra mim, em nome de Jesus (Sl. 78:45).

Nenhuma mosca pode viver em minha vida, em nome de Jesus (Êx. 8:21).

Renuncio e liberto-me de qualquer lixo espiritual que atraia moscas, em nome de Jesus.

Repreendo toda mosca e toda abelha que vierem à minha terra, em nome de Jesus (Is. 7:18).

Livramento dos Espíritos Animalescos

Estou livre das feras do deserto (Is. 34:14).

Repreendo os chacais que possam atacar minha vida, cidade ou nação, em nome de Jesus.

Repreendo os lobos da noite que possam atacar minha vida, cidade ou nação, em nome de Jesus (Hc. 1:8).

Repreendo todo espírito de cabra de Pan, Fauno e Sátira, em nome de Jesus.

Repreendo os gatos selvagens – leopardos, leões, jaguares, que representam poderes ocultos – que possam atacar minha vida, cidade ou nação, em nome de Jesus.

Repreendo as hienas que possam atacar minha vida, cidade ou nação, em nome de Jesus (Is. 34:14).

Repreendo os touros (representantes de forte rebelião) em nome de Jesus (Sl. 22:12).

Repreendo e amarro todo cão selvagem (representa a falsa religião, bruxaria e perversão) que cerque minha vida, em nome de Jesus (Sl. 22:16).

Ordeno a todas as raposas que queiram destruir minhas frutas, deixem minha vida, em nome de Jesus.

SEÇÃO 5

VIVENCIANDO LIBERTAÇÃO E LIVRAMENTO

ISRAEL VIVENCIOU LIBERTAÇÕES E LIVRAMENTOS EM SUA HISTÓRIA. A nação de Israel começou com um livramento poderoso. Davi, o rei, recebeu muitos livramentos. Ele buscou livramento e libertação no Senhor e foi ouvido (Sl. 34:4). Deus responde às súplicas e orações de Seu povo. O livramento de Deus é sempre um sinal de Seu amor e misericórdia. A palavra *salvação* significa libertação ou livramento. A Bíblia está repleta de histórias de libertação, livramento e salvação.

Uma das maiores revelações é a do autolivramento. Podemos nos libertar de qualquer controle da escuridão (Is. 52:2). Podemos exercer poder e autoridade em nossa vida. Jesus nos diz para tirarmos a trava que está em nosso próprio olho (Lc. 6:42). O termo *tirar* tem o mesmo sentido da palavra expulsar, usada para a expulsão de demônios (*ekballo*).

Tenha responsabilidade espiritual pela sua vida. Não dependa de todo mundo para seu bem-estar espiritual. Confesse a Palavra em sua vida. Faça orações poderosas para derrotar o inimigo e não permita que a autopiedade lhe atravanque. Não deixe de orar. Esta é a chave para uma vida de vitória.

Aqueles que vivenciaram libertação e livramento também foram sozinhos ou foram levados a Jesus. Alguns precisaram tomar a iniciativa. Não permita que a passividade roube o seu deireito à libertação e livramento. Você deve abrir a boca. A libertação chegará quando você orar a Deus.

Há muitas pessoas frustradas com a vida. Pessoas que brigam podem ficar estarrecidas pela dúvida e pelo fracasso. Algumas estão lutando contra o estresse e as pressões, que frequentemente levam a problemas emocionais e físicos. Jesus passou maior parte de Seu tempo ministrando aos oprimidos. Multidões foram ouvi-Lo a fim de serem curadas e libertas dos espíritos do mal.

Libertação é o pão dos filhos de Deus, pois cada um tem o direito de se alegrar com as recompensas da libertação, pois esta traz liberdade e regozijo. Temos visto milhares de fiéis sendo libertos de demônios por meio da oração fervorosa. A libertação é um ministério milagroso. Você verá vários milagres por meio das orações de guerra.

As mudanças que você verá são sobrenaturais. As curas se multiplicarão. A escravidão de longos períodos será destruída. Raízes escondidas serão reveladas e eliminadas. Problemas inexplicáveis serão resolvidos. Grandes obstáculos serão removidos. Ciclos de fracasso serão quebrados.

A frustração e o desespero serão eliminados por meio da oração de guerra. O desânimo e a decepção serão superados. Os problemas da vida serão lançados para longe. A eterna paz poderá finalmente ser vivenciada. A vida abundante será aproveitada.

Fracassos que causam amargura serão anulados pelas orações de guerra. Prosperidade e sucesso virão. Os avanços serão vistos em áreas diferentes de sua vida. Você experimentará o sucesso nos relacionamentos, nas finanças, no ministério e nos projetos. O livramento é feito para eliminar os obstáculos espirituais que impedem o progresso. O livramento faz dos lugares duros macios, e dos tortuosos corretos.

Você verá o inimigo sendo derrotado de sua vida. Você viverá livre da escravidão e da opressão dos demônios. Você receberá a vitória por meio da oração. Suas palavras e orações têm um poder tremendo de destruir as obras das trevas.

Aqueles que vivenciarem o livramento e a libertação verão mudanças notáveis. Algumas vezes a mudança é progressiva, e outras, instantânea. A mudança, no entanto, será radical. Haverá um aumento de alegria, liberdade, paz e sucesso. Isto resultará em uma vida espiritual melhor e, consequentemente, no crescimento de santidade e fervor.

É preciso ter paciência para ver as mudanças. Deus prometeu a Israel que lançaria os inimigos pouco a pouco (Dt. 7:22; Êx. 23:29-30). Se você não entender este princípio, ficará cansado de orar por algumas pessoas e desanimado em relação à libertação e ao livramento em sua vida. Quanto mais liberdade você receber, mais precisará crescer e possuir sua terra.

Você tem a autoridade para ligar e desligar (Mt. 18:18). O dicionário define a palavra *ligar* como "unir; conter, restringir; limitar com autoridade e exercer restrição ou efeito obrigatório". Também significa prender, apreender, algemar, levar cativo, encarregar, trancar, restringir, checar ou pôr fim a algo. Ligar é agir sob autoridade legal. Temos autoridade legal no nome de Jesus para pôr fim às obras das trevas.

Estas obras envolvem pecado, iniquidade, perversão, doença, moléstia, enfermidade, morte, destruição, maldições, bruxaria, feitiçaria, adivinhação, miséria, carência, conflito, luxúria, orgulho, rebelião, medo, tormento e confusão. Temos autoridade legal para pôr fim a estas coisas em nossa vida e nas vidas das pessoas às quais ministramos.

Desligar significa desatar, libertar da limitação, desatar, desunir, divorciar, separar, soltar, libertar, escapar, desencadear, liberar, desconectar ou perdoar.

As pessoas precisam ser desligadas das maldições, más heranças, advinhações, pecados, culpa, vergonha, condenação, controle, dominação, manipulação, intimidação, controle da mente, controle religioso, doença, moléstia, decepção, falso ensinamento, pecado, hábitos pecaminosos, carnalidade, demônios, tradição, laços ímpios da alma, promessas ímpias, juramentos ímpios, palavras proferidas, magias, tormentos, feitiços, traumas e rituais. Temos autoridade legal, no nome de Jesus, para tanto desligar a nós mesmos quanto as pessoas às quais ministramos a fim de que permaneçamos longe das influências destrutivas.

ORAÇÕES POR LIBERTAÇÃO

Quebro toda maldição de orgulho, rebelião, luxúria, miséria, bruxaria, idolatria, morte, destruição, fracasso, doença, enfermidade, medo, esquizofrenia e rejeição, em nome de Jesus.

Ordeno a todo espírito hereditário, que opera em minha vida por meio das maldições, que seja amarrado e expulso, em nome de Jesus.

Todos espíritos de luxúria, perversão, adultério, fornicação, impureza e imoralidade, ordeno que saiam de minha natureza sexual, em nome de Jesus.

Todos espíritos de dor, rejeição, medo, ira, cólera, tristeza, depressão, desânimo, pesar, amargura e rancor, ordeno que saiam de minhas emoções, em nome de Jesus.

Todas as recordações ruins e todo espírito de confusão, esquecimento, controle da mente, doença mental, indecisão, fantasia, dor, orgulho, ordeno que saiam de minha mente, em nome de Jesus.

Quebro toda maldição de esquizofrenia e ordeno que saiam todos espíritos de indecisão, de rejeição, de revolta e de amargura, em nome de Jesus.

Todo espírito de culpa, vergonha e condenação,
ordeno que saia de minha consciência,
em nome de Jesus.

Todo espírito de orgulho, teimosia, desobediência,
revolta, obstinação, egoísmo e arrogância, ordeno
que saia dos meus desejos, em nome de Jesus.

Todo espírito do vício, ordeno que saia
de meu apetite, em nome de Jesus.

Todo espírito de bruxaria, feitiçaria, adivinhação e
ocultismo, ordeno que saia em nome de Jesus.

Todo espírito que opera em minha cabeça, olhos, boca,
língua e garganta, ordeno que saia, em nome de Jesus.

Todo espírito que opera em meu peito e
pulmões, ordeno que saia, em nome de Jesus.

Todo espírito que opera nas minhas costas e em
minha coluna, ordeno que saia, em nome de Jesus.

Todo espírito que opera em meu estômago, umbigo
e abdômen, ordeno que saia, em nome de Jesus.

Todo espírito que opera em meu coração, baço, rins,
fígado e pâncreas, ordeno que saia, em nome de Jesus.

Todo espírito que opera em meus órgãos sexuais,
ordeno que saia, em nome de Jesus.

Todo espírito que opera em minhas mãos,
meus braços, minhas pernas e meus pés,
ordeno que saia, em nome de Jesus.

Todo espírito que opera em meu esqueleto e
em meus ossos, juntas, joelhos e cotovelos,
ordeno que saia, em nome de Jesus.

Todo espírito que opera em minhas glândulas e em meu
sistema endócrino, ordeno que saia, em nome de Jesus.

Todo espírito que opera em meu sangue e sistema
circulatório, ordeno que saia, em nome de Jesus.

Todo espírito que opera em meus músculos e sistema
muscular, ordeno que saia, em nome de Jesus.

Todo espírito de dúvida, descrença, erro,
heresia e tradição que veio por meio de minha
religião, ordeno que saia, em nome de Jesus.

Todo espírito de meu passado que está
atrapalhando meu presente e meu futuro,
ordeno que saia, em nome de Jesus.

Todo espírito ancestral que entrou por intermédio de meus ancestrais, ordeno que saia, em nome de Jesus.

Todo espírito escondido em alguma parte da minha vida, ordeno que saia, em nome de Jesus.

Orações por Prosperidade e Libertação Financeira

Quebro todo acordo com o inimigo relacionado a minhas finanças, em nome de Jesus.

Quebro toda maldição de miséria, carência, dívida e fracasso, em nome de Jesus.

Busco primeiro o reino de Deus e Sua justiça, e todas as coisas me são acrescentadas (Mt. 6:33).

Repreendo e expulso todo espírito de gafanhoto peregrino, devastador e devorador, que come minhas bênçãos, em nome de Jesus (Jl. 2:25).

Senhor, ensina-me o que é útil e guia-me por onde devo andar (Is. 48:17).

Tu és Jeová-Jirê, meu provedor (Gn. 22:14).

Tu és El Shaddai, o Deus que dá mais do que necessário.

Prosperidade e riqueza estão em minha casa, porque eu temo a Ti e muito me deleito em Teus mandamentos (Sl. 112:1-3).

As bênçãos do Senhor sobre a minha vida são abundantes.

Sou abençoado na entrada e abençoado na saída.

Sou servo de Deus, e Ele se agrada com minha prosperidade (Sl. 35:27).

Jesus, Tu eras pobre e, por meio de Tua pobreza, serei rico (2 Co. 8:9).

Medito na Palavra dia e noite, e qualquer coisa que eu faça prosperá (Sl. 1:3).

Que a paz esteja entre meus muros, e a prosperidade em meu palácio. (Sl. 122:7).

Prosperarei por meio dos profetas e do ministério profético (Ed. 6:14).

Tenho fé nos profetas e terei a vitória (2 Cr. 20:20; NVI).

Sou Teu servo, Senhor. Faz-me prosperar (Ne. 1:11).

O Deus do céu me fará prosperar (Ne. 2:20).

Vivo na prosperidade do Rei (Jr. 23:5).

Com Teu auxílio, serei uma
pessoa próspera (Gn 39:2).

Senhor, Tu me chamaste e farás
próspero meu caminho (Is. 48:15).

Oro em segredo e Tu me recompensas
publicamente (Mt. 6:6).

Jejuo em segredo e Tu me recompensas
publicamente (Mt. 6:18).

Tu me recompensas, pois busco a Ti (Hb. 11:6).

Senhor, deposita a riqueza do ímpio
em minhas mãos (Pv. 13:22).

Senhor, leva-me a um lugar próspero (Sl. 66:12).

Dou, e é dado a mim – boa medida,
sacudida e transbordante (Lc. 6:38).

Abre as comportas do céu sobre minha vida,
e eu recebo mais do que posso receber (Ml. 3:10).

Fecha cada buraco de meu saquitel,
em nome de Jesus (Ag. 1:6).

Repreendo o devorador por minha causa (Ml. 3:11).

Todas as nações me chamarão abençoado e
serei uma terra deleitosa (Ml. 3:12).

Minhas comportas estão continuamente abertas
para que as forças (riquezas) das nações
sejam trazidas a mim (Is. 60:11).

Estou com as pedras do campo (Jó 5:23).

Que Tua chuva de bênçãos
desça sobre minha vida (Ez. 34:26).

Que meus lagares transbordem (Jl. 2:24).

Enche meus celeiros com abundância e meus
lagares com novo vinho (Pv. 3:10).

Ordena a Tua bênção sobre o meu celeiro (Dt. 28:8).

Enche minha dispensa de todo provimento;
que meus rebanhos produzam milhares e
dezenas de milhares. Que meus bois sejam
fortes para o trabalho (Sl. 144:13-14).

O que lavra alcançará ao que sega, e o que pisa nas uvas ao que lança a semente, e eu viverei em colheita contínua (Am. 9:13).

Enche minhas eiras de trigo e meus lagares de vinho e óleo (Jl. 2:24).

Procede comigo maravilhosamente, e que eu coma e seja satisfeito (Jl. 2:26).

Traz paz às minhas fronteiras e me enche com o mais fino trigo (Sl. 147:14).

Enche-me de mel e do mais fino trigo (Sl. 81:16).

Leva-me à terra onde mana leite e mel (Êx. 3:8).

Leva-me a uma terra sem escassez e carência (Dt. 8:9).

Faz abundar em mim toda graça, e a terei suficiente para abundar em toda boa obra (2 Co. 9:8).

Unge minha cabeça com óleo, e meu cálice transborda (Sl. 23:5).

Que eu tenha riquezas e honra em abundância (2 Cr. 18:1).

Que corra da rocha ribeiros de azeite (Jó 29:6).

Que eu mergulhe meus pés no azeite (Dt. 33:24).

Que eu veja Teus montões em minha vida (2 Cr. 31:8).

Eu amo sabedoria, herdo os bens e meus tesouros são cheios (Pv. 8:21).

Recebo riquezas e honra, riquezas duráveis e justiça (Pv. 8:18).

Traz mel da rocha para mim (Sl. 81:16).

Que eu coma o mais fino trigo (Sl. 147:14).

Que meus dentes sejam mais brancos que o leite (Gn. 49:12).

Que os meus passos sejam banhados em leite (Jó 29:6).

Que eu me deite no ouro como pó (Jó 22:24).

Que eu tenha abundância de prata (Jó 28:1).

Que Teu rio me leve ao ouro (Gn. 2:11-12).

Que eu herde a terra (Sl. 37:29).

Recuso-me a permitir que o anjo da bênção parta sem me abençoar (Gn. 2:6).

Orações por Cura e Saúde

Sou curado pelas feridas de Jesus (Is. 53:5).

Jesus carregou minhas doenças
e enfermidades (Mt. 8:17).

Expulso espíritos de enfermidade que possam atacar meu corpo, em nome de Jesus.

Amarro, repreendo e expulso qualquer espírito de câncer que tente se estabelecer em meus pulmões, ossos, seios, garganta, costas, coluna, fígado, rins, pâncreas, pele ou estômago, em nome de Jesus.

Repreendo e expulso espíritos causadores da diabetes, pressão alta, pressão baixa, ataques do coração, derrame, falência dos rins, leucemia, doenças do sangue, problemas respiratórios, artrite, lúpus, Alzheimer ou insônia, em nome de Jesus.

Ordeno cura e força aos meus ossos, músculos, juntas, órgãos, cabeça, olhos, garganta, glândulas, sangue, medula, pulmões, rins, fígado, baço, coluna, pâncreas, bexiga, ouvidos, nariz, boca, língua e pés, em nome de Jesus.

Liberto-me de todos os ataques do coração
enraizados no medo e ordeno a todo espírito
que saia, em nome de Jesus (Lc. 21:26).

Liberto-me de toda diabetes enraizada na rejeição,
no ódio a mim mesmo, na herança genética e na culpa,
e ordeno a esses espíritos que saiam, em nome de Jesus.

Liberto-me de todo câncer enraizado na amargura, no
rancor, no ressentimento e na blasfêmia da língua, e
ordeno a esses espíritos que saiam, em nome de Jesus.

Liberto-me do lúpus enraizado na rejeição e
no ódio a mim mesmo e na culpa, e expulso
esses espíritos, em nome de Jesus.

Liberto-me de toda esclerose múltipla enraizada
no ódio a mim mesmo, culpa e rejeição do pai, e
expulso esses espíritos, em nome de Jesus.

Liberto-me da artrite reumatoide que está enraizada no
ódio a mim mesmo e na baixa aotoestima, e ordeno a
esses espíritos que saiam, em nome de Jesus.

Liberto-me do colesterol alto que está
enraizado na ira e na hostilidade, e ordeno a
esses espíritos que saiam, em nome de Jesus.

Liberto-me de todo problema nas cavidades ósseas enraizados no medo e ansiedade, e ordeno a esses espíritos que saiam, em nome de Jesus.

Liberto-me de todo problema de pressão alta enraizado no medo e na ansiedade, e ordeno a esses espíritos que saiam, em nome de Jesus.

Liberto-me de toda asma enraizada no medo dos relacionamentos, em nome de Jesus.

Liberto-me de toda fraqueza no meu sistema de imunidade enraizada em um espírito ou em um coração quebrantado e ordeno a esses espíritos que saiam, em nome de Jesus.

Liberto-me de todo derrame enraizado na rejeição, na amargura e no ódio a mim mesmo, e eu ordeno a esses espíritos que saiam, em nome de Jesus.

Liberto-me de toda doença nos ossos enraizada na inveja e no ciúme, e ordeno a esses espíritos que saiam, em nome de Jesus (Pv. 14:30).

Perdoa-me, Senhor, por permitir que qualquer medo, culpa, ódio e rejeição a mim mesmo, rancor, amargura, pecado, orgulho ou revolta abrisse a porta para qualquer doença ou enfermidade. Eu renuncio essas coisas, em nome de Jesus.

Expulso qualquer espírito de enfermidade que tenha entrado em minha vida por meio do orgulho, em nome de Jesus.

Expulso qualquer espírito de enfermidade que tenha entrado em minha vida por meio de trauma ou acidentes, em nome de Jesus.

Expulso qualquer espírito de enfermidade que tenha entrado em minha vida por meio da rejeição, em nome de Jesus.

Expulso qualquer espírito de enfermidade que tenha entrado em minha vida por meio de bruxaria, em nome de Jesus.

Dá-me um coração sadio, que é a vida da minha carne. Remove de meu coração qualquer atitude pecaminosa.

Senhor, remove qualquer flecha de meu fígado (Pv. 7:23).

Cura-me e livra-me de todas as minhas dores, em nome de Jesus.

Repreendo qualquer doença que possa comer minha carne, incluindo o câncer, em nome de Jesus (Sl. 27:2).

Que nenhuma doença maligna (coisas de Belial) se apegue em meu corpo (Sl. 41:8).

Quebro toda maldição de doença e moléstia, e eu ordeno que saiam todos espíritos de doença hereditária (Gl. 3:13).

Quebro toda maldição de morte prematura e destruição, em nome de Jesus.

Prospero e caminho na saúde conforme minha alma prospera (3 Jo. 2).

Recebo a Palavra de Deus, que é saúde para minha carne (Pv. 4:22).

Senhor, abençoa meu pão e água e leva a doença para longe de mim (Êx. 23:25).

Ordeno que todo órgão em meu corpo funcione da maneira que Deus planeja (Sl. 139:14).

Meus ossos são fortes porque recebo o bem reportado pelo Evangelho (Pv. 15:30).

Senhor, guarda todos os meus ossos (Sl. 34:20).

Que todo tumor ou mal derreta na presença de Deus (Sl. 97:5).

Que qualquer infecção em meu corpo
seja queimada pelo fogo de Deus.

Liberto-me de toda alergia e problemas
respiratórios, em nome de Jesus.

Oro pelas minhas artérias e veias sanguíneas, para que
sejam abertas, e pelo meu sistema circulatório, para
que funcione propriamente, em nome de Jesus.

Repreendo toda febre, em nome de Jesus (Lc. 4:39).

Minha carne será como de uma criança, e retornarei
aos dias de minha infância (Jó 33:25).

Oro para que meu sistema imune seja
fortalecido, em nome de Jesus (Sl. 119:28).

Senhor, renova minha mocidade
como a da águia (Sl. 103:5).

Não morrerei, mas viverei, e proclamarei
o nome do Senhor (Sl. 118:17).

Minha beleza deve ser como a da oliveira (Os. 14:6).

Senhor, Tu és a saúde de meu semblante (Sl. 43:5).

Cura-me, Ó Senhor, e serei curado (Jr. 17:14).

Que a Tua virtude toque minha vida e me cure (Lc. 6:19).

Lanço o fogo de Deus para queimar qualquer doença ou moléstia que opere em meu corpo, em nome de Jesus.

Nenhuma doença ou praga chegará perto de minha habitação (Sl. 91:10).

Jesus, aparece em minha vida com a cura em Tuas asas (Ml. 4:2).

O Senhor é a força em minha vida (Sl. 27:1).

Ordeno que morra todo germe ou doença que tocar meu corpo, em nome de Jesus.

Pego o escudo da fé e apago qualquer dardo inflamado de meu inimigo (Ef. 6:16).

Sou remido da doença e da moléstia (Gl. 3:13).

Com a expiação de Jesus Cristo, toda praga cessa quando chega perto de mim (Nm. 16:50).

Liberto-me de toda enfermidade (Lc. 13:12).

Jesus Cristo me faz completo (At. 9:34).

Sou temente e maravilhosamente pleno. Que meu corpo seja a maravilha que Tu planejaste (Sl. 139:14).

Orações por Livramento

Guarda minha alma e livra-me (Sl. 25:20).

Agrada-te, Ó Senhor, em libertar-me (Sl. 40:13).

Apressa-te, Ó Deus, e livra-me (Sl. 70:1).

Livra-me em Tua justiça (Sl. 71:2).

Livra-me, Ó Deus, da mão do inimigo (Sl. 71:4).

Livra-me de meus perseguidores (Sl. 142:6).

Livra-me das muitas águas (Sl. 144:7).

Livra-me da opressão do homem (Sl. 119:134).

Livra-me segundo a Tua Palavra (Sl. 119:170).

Livra minha alma dos lábios que mentem e da língua que engana (Sl. 120:2).

Livra-me de meus inimigos e esconda-me (Sl. 143:9).

Envolve-me com cantos de livramento (Sl. 32:7).

Ordena salvações para minha vida (Sl. 44:4).

Livra-me de todos os meus medos (Sl. 34:4).

Livra-me de todas as minhas tribulações (Sl. 54:7).

Livra-me dos que me odeiam (Sl. 69:14).

Livra-me das minhas agonias (Sl. 107:6).

Envia Tua Palavra e livra-me
da destruição (Sl. 107:20).

Livra minha alma da morte, meus olhos
das lágrimas e meus pés de caírem (Sl. 116:8).

Clamo pelo nome de Jesus, e o
socorro vem a mim (Jl. 2:32).

Livra-me do poder do leão (Dn. 6:27).

Pelo Teu conhecimento, sou livre (Pv. 11:9).

Pela Tua sabedoria, sou livre (Pv. 28:26).

Recebo milagres de livramento
para minha vida (Dn. 6:27).

Orações por Livramento do Mal

Livra-me do mal (Mt. 6:13).

Oro para que Tu me guardes do mal (1 Cr. 4:10).

Nenhum mal me tocará (Jó 5:19).

Envergonha aqueles que me desejam o mal (Sl. 40:14).

Que nenhuma doença maligna se
apegue ao meu corpo (Sl. 41:8).

Não terei medo dos maus rumores (Sl. 112:7).

Não serei visitado pelo mal (Pv. 19:23).

Desvio meus pés de todo mau caminho para que eu
possa me manter na Tua Palavra (Sl. 119:101).

Guarda-me de todo mal (Sl. 121:7).

Livra-me do homem mau (Sl. 140:1).

Cura as pessoas das pragas e dos
maus espíritos (Lc. 7:21).

Oro para que Tu me guardes do mal (Jo. 17:15).

Expulsa os espíritos maus (At. 19:12).

Não serei vencido pelo mal, mas vencerei
o mal com o bem (Rm. 12:21).

Tomarei a armadura de Deus para que eu
possa resistir no dia mau (Ef. 6:13).

Cancelo todos os planos e forças
do mal enviados à minha vida.

Queima as obras do mal com Teu fogo sagrado.

Faz o homem se arrepender e se voltar à justiça.

Que nenhum mal se estabeleça em minha
vida, mas estabeleça a Tua justiça.

Liberto-me de todos os que fazem
o mal e de todos os laços maus.

Renúncia ao Pecado Sexual e Libertação

Renuncio todo pecado sexual em que eu tenha me envolvido no passado, incluindo fornicação, masturbação, pornografia, perversão, fantasia e adultério, em nome de Jesus.

Quebro toda maldição de adultério, perversão, fornicação, luxúria, incesto, estupro, molestação, ilegitimidade e poligamia, em nome de Jesus.

Ordeno que saiam todos espíritos de luxúria e perversão de meu estômago, genitália, olhos, mente, boca, mãos e sangue, em nome de Jesus.

Apresento meu corpo ao Senhor como um sacrifício vivo (Rm. 12:1).

Meus membros são os membros de Cristo. Não os deixarei serem membros da meretriz (1 Co. 6:15).

Lanço o fogo de Deus para queimar toda impureza da luxúria em minha vida, em nome de Jesus.

Quebro todo laço ímpio com amantes e parceiros sexuais, em nome de Jesus.

Expulso todo espírito de solidão que me leve a relacionamentos sexuais ímpios, em nome de Jesus.

Todo espírito de luxúria herdado pelos meus ancestrais, ordeno que saia, em nome de Jesus.

Tenho autoridade sobre meus pensamentos e amarro todo espírito de fantasia e de pensamentos luxuriosos, em nome de Jesus.

Expulso todo espírito do divórcio e da luxúria que possa quebrar alianças, em nome de Jesus.

Expulso e liberto-me de qualquer espírito de *incubus* e *sucubus*, em nome de Jesus.

Expulso todo espírito de perversão, incluindo os espíritos de luxúria de Moabita e Amonita, em nome de Jesus.

Recebo o espírito de santidade em minha vida para andar na pureza sexual, em nome de Jesus (Rm. 1:4).

Liberto-me do espírito mundano, da luxúria da carne, da luxúria dos olhos e do orgulho da vida. Venço o mundo pelo poder do Espírito Santo (1 Jo. 2:16).

Sou crucificado com Cristo. Mortifico meus membros. Não deixarei o pecado reinar em meu corpo e não obedecerei à luxúria dele (Rm. 6:6-12).

Orações por Livramento dos Anjos

Que Teus anjos subam e desçam em minha vida (Gn. 28:12).

Dá a Teus anjos ordem a meu respeito e livra-me (Sl. 91:11).

Que os anjos do Senhor façam o inimigo fugir (Sl. 35:5).

Que os anjos do Senhor persigam o inimigo (Sl. 35:6)

Que Teus anjos lutem por mim nos céus contra os principados (Dn. 10:13).

Que os anjos de Tua presença me salvem (Is. 63:9).

Que Teus anjos vão adiante de mim e endireitem os caminhos tortuosos (Zc. 12:8).

Envia Teus anjos à minha frente para guardarem meu caminho (Êx. 33:2).

Senhor, ouve minha voz e envia Teus anjos para me livrarem (Nm. 20:16).

Envia Teus anjos para me socorrerem (Mt. 4:11).

Cheguei a Sião e à companhia dos inumeráveis anjos (Hb. 12:22).

Sou herdeiro da salvação. Envia Teus anjos para ministrarem a mim (Hb. 1:14).

Envia Teus anjos para me libertarem da mão do inimigo (Mt. 12:11).

Senhor, confessa-me diante de Teus santos anjos (Lc. 12:8).

Envia Teus anjos na noite para ministrarem à minha vida (At. 27:23).

Que Teus anjos encontrem-se comigo enquanto sigo meu caminho (Gn. 32:1).

Envia Teus anjos para se envolverem no resgate ao perdido (At. 8:26).

Liberta Teu exército de anjos para lutar e defender a igreja (Sl. 68:17).

Envia Teus anjos para ferir os demônios que vêm para me destruir (Is. 37:36).

ORAÇÕES CONTRA TERRORISMO

Amarro e repreendo toda águia vermelha do terror que possa vir contra minha nação, em nome de Jesus (Jr. 49:22).

Não terei medo do terror da noite (Sl. 91:5).

Amarro e repreendo todo terrorista que tramar contra minha nação, em nome de Jesus.

Amarro e repreendo todo espírito de ódio e assassinato que se manifeste pelo terrorismo, em nome de Jesus.

Amarro e repreendo todo demônio de Jihad, em nome de Jesus.

Amarro e repreendo todo espírito anticristo e de ódio ao Cristianismo, em nome de Jesus.

Amarro todo espírito de ódio contra nossa nação, em nome de Jesus.

Amarro e repreendo todo terror da morte, em nome de Jesus (Sl. 55:4).

Amarro todo temor e pânico que venham com o terrorismo, em nome de Jesus.

Livra-me do homem violento e sanguinário (Sl. 140:1).

Tiro os atos de violência das mãos do ímpio (Is. 59:6).

Que as estratégias de homens violentos sejam reveladas e extirpadas (Sl. 86:14).

Que a violência não esteja em minhas fronteiras (Is. 60:18).

Orações Apostólicas

Pai, guarda-me de todo mal (Jo. 17:15).

Santifica-me pela verdade da Tua palavra (Jo. 17:17).

Que eu seja aquele com meus irmãos e irmãs em quem o mundo acredita, pois fui enviado (Jo. 17:21).

O desejo do meu coração é que a salvação chegue a Israel (Rm. 10:1).

Faz-me digno de minha vocação e cumpridor de todo desejo de Tua bondade e de Tua obra de fé com poder (2 Ts. 1:11).

Que a Tua Palavra tenha livre curso
em minha vida (2 Ts. 3:1).

Dá-me o espírito de sabedoria e revelação
no conhecimento de Jesus (Ef. 1:17).

Que os olhos de meu entendimento sejam iluminados
para que eu conheça a promessa do meu chamado,
as riquezas da glória de Tua herança nos santos e a
grandiosidade de Teu poder para mim
e para os que acreditam (Ef. 1:17-19).

Fortalece-me no íntimo do meu ser com o Teu
poder, por meio do Teu espírito (Ef. 3:16; NVI).

Que Cristo habite em meu coração pela fé, que eu seja
arraigado e fundado no amor, que eu compreenda,
juntamente com todos os santos, qual é a altura
e comprimento, a largura e a profundidade
do Teu amor (Ef. 3:17-18; NVI).

Que eu conheça o amor de Cristo que ultrapassa
o entendimento, para que eu possa ser cheio
com toda plenitude de Deus (Ef. 3:19).

Senhor, faz tudo muito mais abundantemente
além daquilo que peço ou penso, segundo
o poder que em mim opera (Ef. 3:20).

Que a fala seja dada a mim, para que eu possa abrir minha boca a fim de fazer conhecerem o mistério do Evangelho (Ef. 6:19).

Que meu amor cresça mais e mais na sabedoria e em ciência (Fp. 1:9).

Que eu aprove o que é excelente, para que eu possa ser sincero e irrepreensível até o dia de Cristo (Fp. 1:10).

Que eu conheça a Jesus, o poder de Sua ressurreição e a comunicação de Seus sofrimentos, sendo feito conforme a Sua morte (Fp. 3:10).

Enche-me com o conhecimento da Tua vontade em toda sabedoria e entendimento espiritual, para que eu possa caminhar dignamente diante de Ti, agradando em tudo, frutificando em toda boa obra e crescendo no conhecimento de Deus (Cl. 1:9-10).

Fortaleça-me com toda força segundo Teu poder glorioso, com toda paciência e com toda temperança com alegria (Cl. 1:11).

Faz-me perfeito e completo na vontade de Deus (Cl. 4:12).

Preserva todo meu espírito, minha alma e meu corpo inocentes até que eu chegue ao Senhor Jesus Cristo (1 Ts. 5:23).

Senhor, dá-me paz sempre, de todas as maneiras, e cerca-me (2 Ts. 3:16).

Suplico, intercedo e agradeço por todos os líderes em minha nação e na igreja, para que eu possa levar uma vida calma e em paz, na bondade e na honestidade (1 Tm. 2:1-2).

Recebo graça multiplicada e paz por meio da unção apostólica (2 Pe. 1:2).

Ligando e Desligando

Tenho as chaves do Reino, e o que eu ligar na Terra está ligado no céu, e o que eu desligar na Terra, será desligado no céu (Mt. 16:19).

Amarro os reis em grilhões e os nobres com algemas de ferro (Sl. 149:8).

Amarro o homem forte e corrompo seus bens (Mt. 12:29).

Amarro Leviatã e todo espírito orgulhoso que esteja contra a minha vida (Jó 41:5).

Amarro os principados, potestades, governadores das trevas deste mundo e impiedades espirituais nos altares (Ef. 6:12).

Amarro todas as doenças e moléstias lançadas contra minha mente ou meu corpo.

Liberta o exilado (Is. 51:14).

Liberta os prisioneiros (Sl. 146:7).

Liberta os sentenciados à morte (Sl. 102:20).

Liberto meu pescoço de toda cadeia (Is. 52:2).

Liberto-me das cadeias da impiedade (Is. 58:6).

Liberto-me das cadeias de Orion (Jó 38:31).

Liberto-me de toda cadeia (Sl. 116:16).

Liberto minha mente, vontade e emoções de toda missão e de todo espírito das trevas, em nome de Jesus.

Liberto minha cidade e minha região de toda missão com o inferno.

Liberto minhas finanças de todo espírito
de miséria, dívida e carência.

Liberto-me de toda maldição familiar e
dos espíritos hereditários (Gl. 3:13).

Liberto-me de todo envolvimento com
bruxaria, feitiçaria e adivinhação.

Liberto-me de toda maldição e de toda palavra
negativa falada contra minha vida.

Lançando Vergonha ao Inimigo

Que o Inimigo se envergonhe e se aborreça.
Que ele, frustrado, recue-se de repente (Sl. 6:10).

Mostra-me um sinal da Tua bondade, para que o vejam
aqueles que me odeiam e se envergonhem (Sl. 86:17).

Envergonhe os que buscam minha alma (Sl. 35:4).

Destrua os ossos deles e envergonha-os (Sl. 53:5).

Envergonhe e confunda os que buscam minha alma;
faz com que se virem aqueles que querem me
machucar, e confunda-os (Sl. 70:2).

Enche a face de cada um de vergonha (Sl. 83:16).

Envergonha todos aqueles que
têm raiva de Ti (Is. 45:24).

Envergonha aqueles que se colocam
contra mim (Sl. 109:28).

Envergonha os espíritos orgulhosos (Sl. 119:78).

Orações pelas Almas

Todas as almas pertencem a Ti, Ó Senhor (Ez. 18:4).

Senhor, Tu és o pastor e bispo de minha
alma. Vigie-a e guarde-a (1 Pe. 2:25).

Recebo com mansidão a palavra em mim
enxertada, que pode salvar minha alma (Tg. 1:21).

Amarro o caçador de almas (Ez. 13:20).

É perseverando que obterei a vida (Lc. 21:19; NVI).

Amarro e destruo qualquer instrumento usado para caçar
almas e as porei em liberdade (Ez. 13:20; NVI).

Ordeno que as almas caçadas pelo
inimigo sejam soltas (Ez. 13:20).

Liberto as almas da adivinhação
e da bruxaria (Ez. 13:23).

Volta, Ó Senhor, e livra minha alma (Sl. 6:4).

Que o inimigo não persiga minha alma (Sl. 7:5).

Senhor, restaura minha alma (Sl. 23:3).

Guarda minha alma e livra-me (Sl. 25:20).

Envergonha os que buscam minha alma (Sl. 35:4).

Resgata minha alma da destruição (Sl. 35:17).

Envergonha e confunde aqueles que
buscam minha alma (Sl. 40:14).

Livra-me de todo opressor que
busca minha alma (Sl. 54:3).

Senhor, Tu livraste minha alma da morte
e meus pés de caírem (Sl. 56:13).

Preserva minha alma, pois sou santo (Sl. 86:2).

Regozija minha alma, para que a eleve a Ti (Sl. 86:4).

Senhor, Teu consolo traz alívio
à minha alma (Sl. 94:19).

Quebro o poder de toda palavra negativa
proferida contra minha alma (Sl. 109:20).

Volta ao teu repouso, Ó minha alma (Sl. 116:7).

Minha alma deve viver e
louvar ao Senhor (Sl. 119:175).

Minha alma escapa como um pássaro fora da
armadilha do passarinheiro (Sl. 124:7).

Dá-me força e coragem (Sl. 138:3; NVI).

Destrua todos os que afligem minha alma (Sl. 143:12).

Que o temor a Ti caia sobre todos
em minha cidade (At. 2:43).

Prosperarei e serei saudável, assim como
minha alma prosperará (3 Jo. 1:2).

Oro para minha alma preservar-se irrepreensível
até a chegada do Senhor (1 Ts. 5:23).

Sacia minha alma com fartura (Jr. 31:14).

Minha alma se alegrará no Senhor. Tu me vestiste de salvação e com o manto da justiça (Is. 61:10).

Quebro todo laço com alma ímpia e oro por laços piedosos que trarão bênçãos para minha vida (1 Sm. 18:1).

Liberto minha alma de qualquer promessa, juramento e maldição que possa me amarrar, em nome de Jesus.

Orações pela Nação

Oro para que os líderes de minha nação vão para a luz (Is. 60:3).

Suplico, oro, intercedo e agradeço a todas as pessoas e líderes de minha nação, para que eu tenha uma vida em paz e em toda piedade e honestidade (1 Tm. 2:1-2).

Que nossos líderes sejam justos e que liderem pelo temor ao Senhor (2 Sm. 23:3).

Que nossos líderes se curvem diante do Senhor, e que minha nação sirva a Ele (Sl. 72:11).

Liberta os pobres e os necessitados
de minha nação (Sl. 72:12-13).

Estabelece o domínio do Senhor em minha nação e
deixe Teus inimigos lamberem pó (Sl. 72:8-9).

Inclina os corações de nossos
líderes ao temor a Ti (Pv. 21:1).

Que o Senhor governe minha nação e
que ela agradeça e regozije (Sl. 97:1).

Que minha nação cante uma nova canção, abençoe Teu
nome e anuncie Tua salvação dia após dia (Sl. 96:1-3).

Que as pessoas de minha nação tremam
na presença do Senhor (Sl. 99:1).

Que minha nação anuncie com alegria o Senhor,
e que o povo sirva com satisfação (Sl. 110:1-2).

Que nossos líderes louvem a Ti e que ouçam
as palavras de Tua boca (Sl. 138:4).

Arranca o ímpio de nossa terra (Pv. 2:22).

Ceifa o ímpio como a erva e o faça murchar
como a verdura (Sl. 37:2).

Que todas as pessoas de minha nação
inclinem-se ao Senhor e O adorem (Sl. 22:27).

Minha nação é o Senhor, Sua plenitude e
também todos que nela habitam (Sl. 24:1).

Envergonhe todos os idólatras da minha nação e faze-os
adorarem ao Senhor (Sl. 97:7).

Que minha nação louve ao Senhor por Sua
benignidade e verdade (Sl. 117).

Salva minha nação, Ó Senhor, e envia
prosperidade (Sl. 118:25).

Oro para que minha nação ande segundo o
governo e o reino de Cristo (Dn. 7:14).

Oro para que minha nação leve suas
riquezas para o Reino (Ap. 21:24).

Oro para que minha nação seja convertida e
leve suas riquezas para o Reino (Is. 60:5).

Oro para que minha nação seja curada pelas
folhas da árvore da vida (Ap. 22:2).

Oro para que minha nação anuncie
os louvores a Deus (Is. 60:6).

Oro para que minha nação veja
a glória de Deus (Is. 35:2).

Que os surdos ouçam as palavras do livro e que os
cegos vejam fora da obscuridade (Is. 29:18).

Oro para que Jesus governe minha
nação em justiça e juízo (Is. 32:1).

Oro para que minha nação vá a Sião para ensinar
e que não mais aprenda a guerrear (Is. 2:1-4).

Oro para que minha nação busque ao
Senhor e descanse nele (Is. 11:1).

Oro para que os lugares secos em minha nação
se tornem um lago, e toda terra sedenta,
mananciais de água (Is. 35:7).

Oro para que a glória do Senhor seja revelada à minha
nação e para que todo habitante a veja (Is. 40:5).

Que o Senhor traga justiça e
juízo à minha nação (Is. 42:1).

Peço a Deus para fazer algo novo em minha
nação jogando água na imensidão e riachos
no deserto (Is. 43:19-20).

Que a paz (*shalom*) venha para minha nação como um rio (Is. 66:12).

Que minha nação seja aspergida pelo sangue de Jesus (Is. 52:12).

Que as crianças de minha nação sejam ensinadas pelo Senhor (Is. 54:13).

Oro para que minha nação busque e encontre o Senhor (Is. 65:1).

Que minha nação seja cheia de sacerdotes e levitas que adoram ao Senhor (Is. 66:21).

Que as pessoas de minha nação venham e adorem ao Senhor (Is. 66:23).

Que meu povo construa casas e nelas habite (Is. 65:21).

Que meu povo plante vinhedos e coma seus frutos (Is. 65:21).

Que meu povo regozije a longa obra das mãos deles (Is. 65:22).

Que os inimigos de minha terra sejam reconciliados (Is. 65:25).

Que minha nação seja cheia de sabedoria
da glória do Senhor (Hc. 2:14).

Que minha nação seja salva e caminhe
na luz de Sião (Ap. 21:24).

Que Deus seja misericordioso conosco e nos abençoe, e que Sua face brilhe sobre nós. Que Seus caminhos sejam conhecidos a nós e Sua salvação seja conhecida por nossa nação (Sl. 67:1-2).

Que cada acordo com a morte e com o inferno seja quebrado em nossa nação (Is. 28:18).

Que minha nação olhe para o Senhor e seja salva (Is. 45:22).

Que o Senhor desnude Seu santo braço e que minha nação veja a Sua salvação (Is. 52:10).

Que todo véu que cobre minha nação seja destruído (Is. 25:7).

Minha nação é a herança do Senhor; deixe-O possuí-la (Sl. 2:7-8).

O reino é do Senhor, e Ele é o governador de minha nação (Sl. 22:28).

Que as pessoas que andam na escuridão em minha nação vejam a luz, e que a Tua luz brilhe sobre aqueles que estão na sombra das trevas (Is. 9:2).

Que Teu governo e paz (*shalom*) cresçam continuamente em minha nação (Is. 9:7).

Que Tua justiça e juízo cresçam em minha nação (Is. 9:7).

Chama de filhos do Deus vivo aqueles em minha nação que não são Teu povo (Rm. 9:25-26).

Que a justiça, a paz e a alegria no Espírito Santo cresçam em minha nação (Rm. 14:17).

Oro para que a justiça venha até minha nação e para que ela seja exaltada (Pv. 14:34).

Que Teu Espírito seja derramado em minha nação e que seus filhos e filhas profetizem (At. 2:17-18).

Confessarei a Ti, Senhor, em meio ao meu povo e cantarei Teu nome (Sl. 22:22).

Anuncia Tua Glória entre meu povo e Tuas maravilhas em minha nação (Sl. 96:1-3).

Abre a porta da palavra em minha nação, para que meu povo possa ouvir a Tua Palavra (Cl. 4:3).

Oro para que as famílias de meu povo sejam abençoadas por Cristo (Gn. 28:14; Gl. 3:14).

Oro para que as águas de cura corram em minha nação (Ez. 47:9).
